Cynnwys

Specialist fü Optik
Cigarren
5692

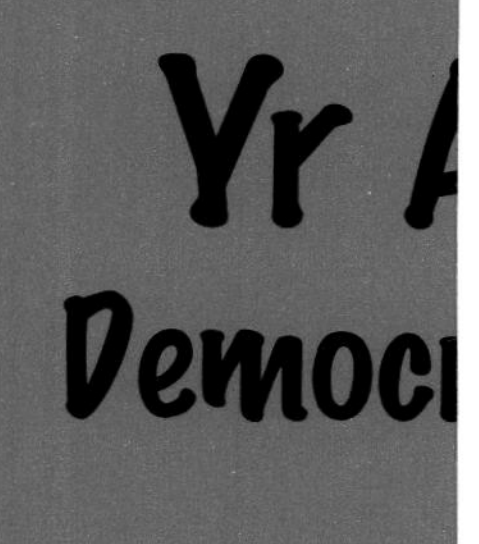

Yr A
Democr

Cynhyrchwyd gan:
Ysgol Addysg,
Prifysgol Cymru,
Bangor, LL57 2PX
Ffôn: 01248 351151
Ffacs: 01248 383092

Yr Almaen 1918-1945: Democratiaeth ac Unbennaeth
Addasiad Cymraeg o *Germany 1918-1945: Democracy and Dictatorship*
(Addison Wesley Longman, 1996)

Comisiynwyd gyda chymorth ariannol Awdurdod Cymwysterau, Cwricwlwm ac Asesu Cymru

Cyhoeddwyd yr addasiad hwn o *Germany 1918-45* mewn cydweithrediad ag Addison Wesley Longman

Diolchir i'r canlynol am eu cymorth ynglŷn â'r addasiad Cymraeg:

Siân Thomas, Ysgol Gyfun Glantaf
Nia Goode, Ysgol Gyfun Gwynllyw
Erwain Haf Rheinallt, Bangor

Argraffiad Cymraeg Cyntaf 1998
Ail argraffiad Chwefror 2001

ISBN 1-898817-93-6

Manylion Catalogio Cyhoeddi
Y mae cofnod catalogio'r cyhoeddiad hwn ar gael gan y Llyfrgell Brydeinig

Cysodwyd gan D. Gerallt Owen, Dylunio DG, Porthmadog
Argraffwyd a rhwymwyd yng Nghymru gan Argraffwyr Cambrian

Clawr blaen: Merched ysgol yn cael eu cludo o Wien (Fienna) ym Medi 1939.

Cydnabyddiaeth

AKG London, tt. 25, 33, 52, 79; Bildarchiv Preussischer Kulturbesitz, tt.12 (canol), 47, 50, 87; Bundesarchiv, tt.36, 43, 44, 61, 65, 91, 95, 100, 103, 107; Deutsches Historisches Museum, Berlin, tt.4-5; E.T. Archives, t.105; Heinrich R. Hoffmann, t.55; Hulton-Deutsch Collection, t.12 (chwith); Robert Hunt Library, tt.10, 68, 73; Imperial War Museum, Llundain, tt.77, 97, 117, 124; Jewish Historical Institute, t.112 (ffotograff: Wiener Library); David King Collection, t.16; Beate Klarsfeld Foundation, t.113 (ffotograff: Wiener Library); Landesarchiv, Berlin, t.20; Library of Congress, t.106; Ruth Liepman Agency, t.120 (ffotograff: Wiener Library); Suddeutscher Verlag, tt.41, 54, 56 (chwith uchod, de uchod a de isod), 62, 63, 72, 102; Sygma, tt.56 chwith isod (L'Illustration), 70 (Keystone), 115 (Keystone, Paris); Topham Picturepoint, t.12 (de); US Army Center of Military History, t.89; Ullstein Bilderdienst, tt.8, 21, 24 (de), 38, 40, 42, 58, 75, 81, 85, 99, 101, 118; Wiener Library, tt.24 (canol), 57, 66, 76, 93.

Gwnaed pob ymdrech i olrhain perchenogion hawlfreintiau. Os cydnabuwyd unrhyw ddeunydd yn anghywir, byddem yn falch o gywiro'r cam cyn gynted ag y bo modd.

Uned 1. Arbrawf mewn democratiaeth: Chwyldro 1918-19

Edrychwch ar y ffotograff. Mae rhywbeth anarferol yn digwydd. Ar hyd stryd yn yr Almaen mae gweithwyr cyffredin yn gorymdeithio, gan gludo reifflau. Mae gan ddyn mewn tei-bo ar lorri wedi'i dwyn ddryll peiriannol yn ei feddiant. Sylwch fod rhai milwyr yn gorymdeithio gyda nhw. Mae'r siopau ynghau. Beth sy'n digwydd? Pam y mae gweithwyr a milwyr yn gorymdeithio drwy'r strydoedd gyda drylliau?

Yr ateb yw fod chwyldro yn digwydd. Roedd y dynion hyn yn chwyldroadwyr oedd eisiau newid y ffordd roedd eu gwlad yn cael ei rheoli. Ynghyd â miloedd o rai tebyg iddynt ym mhob rhan o'r Almaen, fe ddymchwelon nhw eu llywodraethwr a sefydlu llywodraeth o fath newydd.

Eu nod oedd gwneud yr Almaen yn wlad ddemocrataidd. Mae hyn yn golygu y byddai'r bobl yn ethol eu llywodraeth eu hunain, gan leisio eu barn am y ffordd y byddai'r wlad yn cael ei rheoli, ac yn mynnu eu bod yn cael hawliau cyfartal. Ond roeddent yn anghytuno ynglŷn a'r ffordd i gyflawni hyn. Am dri mis buont yn dadlau ac yna'n ymladd yn erbyn ei gilydd mewn rhyfel cartref. Fe laddwyd miloedd lawer cyn i lywodraeth ddemocrataidd gael ei sefydlu yn 1919.

Gellir defnyddio Uned 1 y llyfr hwn i ateb tri chwestiwn. Yn gyntaf, pam yr ymunodd pobl yr Almaen mewn chwyldro yn 1918-19? Yna ail, pam y dechreuodd y chwyldroadwyr ymladd yn erbyn ei gilydd? Ac yn drydydd, sut y newidiodd yr Almaen o ganlyniad i'r chwyldro?

Streicwyr a milwyr yn ymdeithio ar hyd stryd yn Berlin, prifddinas yr Almaen, ar 5 Ionawr 1919.

Yr Almaen cyn y Chwyldro

* **Kaiser** Y gair Almaeneg am Ymerawdwr. Fel y gair Rwsieg 'Tsar', mae'n tarddu o'r gair Lladin 'Caesar'.

Yr Ymerodraeth Almaenig

Cyn 1918 roedd yr Almaen yn ymerodraeth yng nghanol Ewrop. Câi ei rheoli gan y Kaiser* Wilhelm yr Ail. Roedd yn wlad ifanc, wedi'i chreu yn 1871, ond eisoes roedd yn un o wledydd mwyaf pwerus y byd. Mae'r map isod (Ffynhonnell 1) yn dangos ei phrif nodweddion.

Llywodraeth yr Almaen

Yr unigolyn mwyaf pwerus yn yr Almaen oedd y Kaiser Wilhelm. Ef oedd pen y llywodraeth, yn penodi gweinidogion i weinyddu'r wlad. Ef oedd pennaeth y gwasanaeth sifil a chadlywydd y lluoedd arfog. Ac ef oedd Brenin Prwsia, y wladwriaeth fwyaf o blith y 26 o wladwriaethau yn yr Ymerodraeth.

Er bod gan y Kaiser Wilhelm lawer o bŵer, roedd gan lywodraeth yr Almaen rai nodweddion democrataidd. Roedd gan ddynion dros 25 oed yr

Ffynhonnell 1

Yr Ymerodraeth Almaenig, 1871-1918 – uniad o Brwsia a 25 o daleithiau cyfagos, gyda phob un yn cael eu rheoli gan Frenin, Dug neu Dywysog. Y Kaiser (Ymerawdwr) oedd Brenin Prwsia. Rheolai'r Kaiser 26 o wladwriaethau.

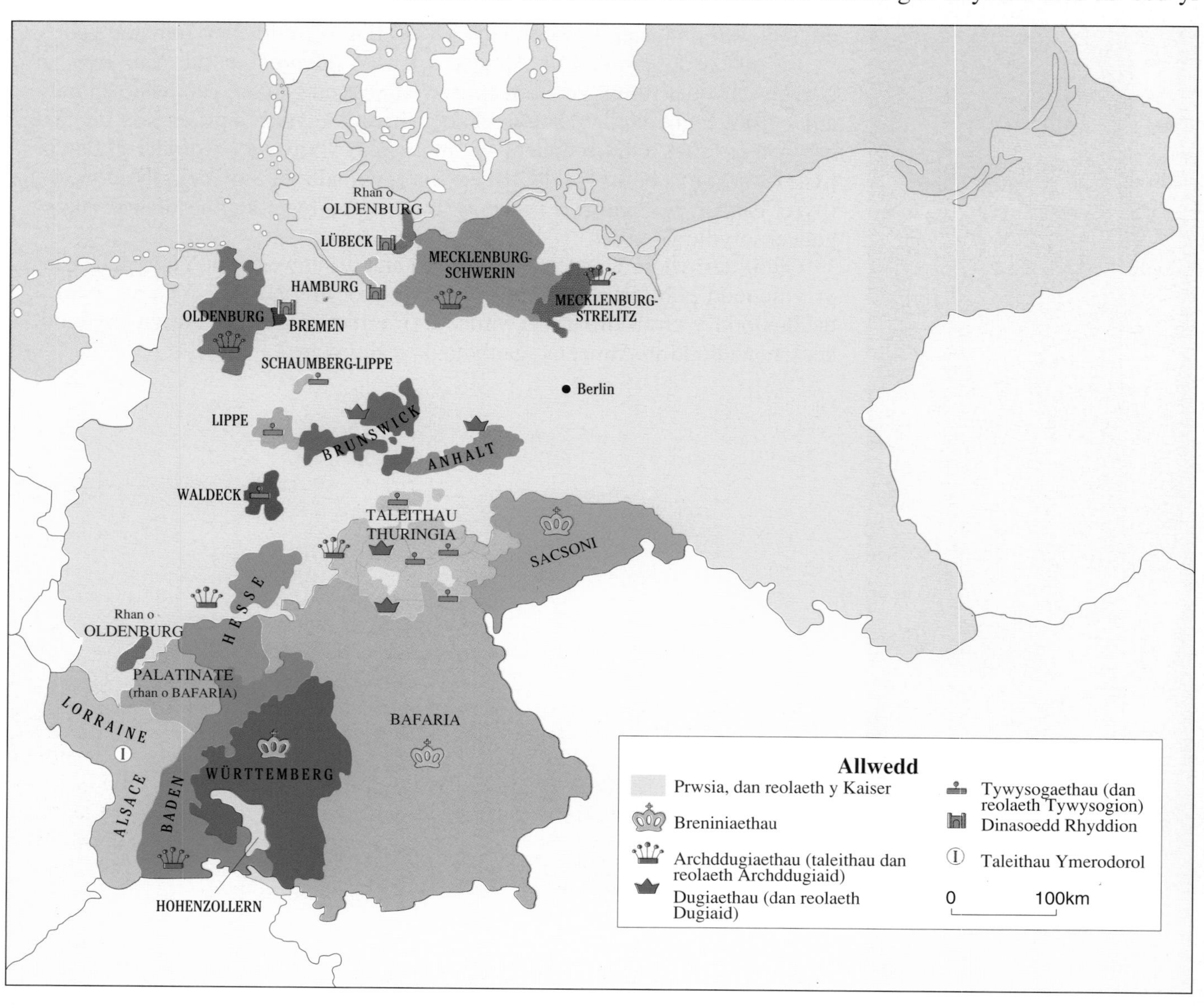

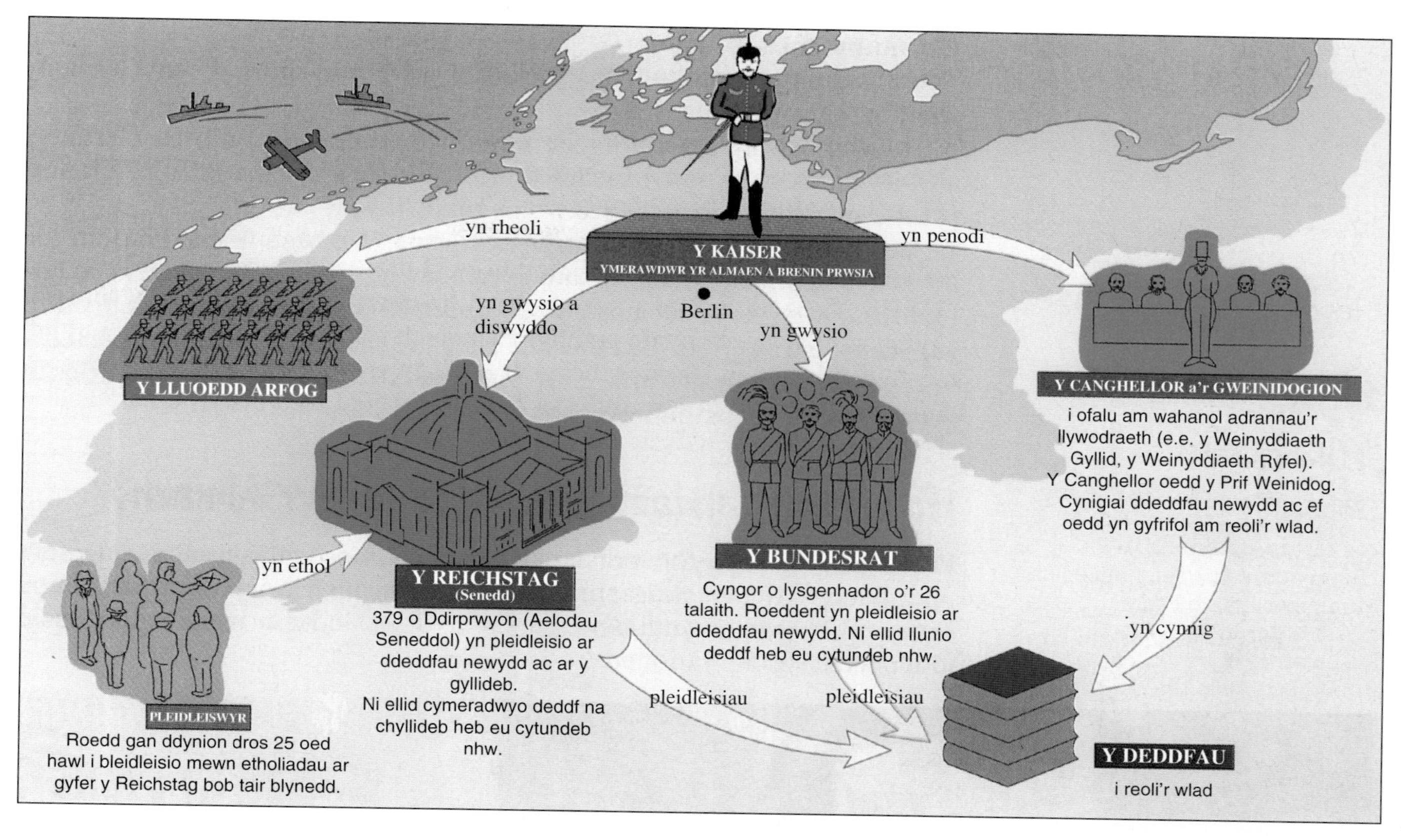

Ffynhonnell 2

Sut y câi'r Ymerodraeth Almaenig ei llywodraethu cyn 1918.

hawl i bleidleisio ar gyfer senedd a elwid y Reichstag. Roedd y senedd hon yn pleidleisio ar gyfreithiau a gâi eu paratoi gan y Kaiser Wilhelm a'i weinidogion

Diwydiant yr Almaen

Roedd diwydiannau'r Almaen yn fodern a llwyddiannus. Cynhyrchid mwy o haearn a dur yn yr Almaen nag mewn unrhyw wlad arall yn Ewrop. Llwyddai i gynhyrchu cymaint o lo â Phrydain, ac roedd cyfran masnach byd y ddwy wlad yn debyg hefyd.

Wrth i ddiwydiannau'r Almaen dyfu, fe gynyddodd nifer y gweithwyr diwydiannol. Erbyn 1914 roedd dros hanner poblogaeth yr Almaen yn gweithio mewn mwyngloddiau, ffatrïoedd, gweithdai a thrafnidiaeth. Roedd llawer yn anfodlon â'u sefyllfa. Yn aml roedd cyflogau'n isel ac amodau gwaith yn wael. Penderfynodd mwy a mwy o weithwyr ymuno ag undebau llafur, gan gefnogi pleidiau sosialaidd, yn y gobaith o orfodi'r llywodraeth i wella'u hamodau.

Sosialwyr yr Almaen

Roedd sosialwyr am i rym a chyfoeth gael eu rhannu'n gyfartal. Ond fe anghytunent ynglŷn â'r ffordd orau i gyflawni hynny. Roedd y sosialwyr chwyldroadol eisiau dymchwel dosbarth llywodraethol yr Almaen drwy gyfrwng chwyldro. Byddai hynny'n golygu cael gwared ar y Kaiser, y Brenhinoedd, y Tywysogion a'r Dugiaid, y tirfeddianwyr a'r cyfoethogion i gyd. Yn eu lle, byddai'r dosbarth gweithiol yn llywodraethu'r Almaen drwy gyfrwng cynghorau lleol o weithwyr a gâi eu hethol.

Yn wahanol i'r sosialwyr chwyldroadol, roedd y sosialwyr seneddol o blaid ennill grym drwy'r senedd. Os gallent berswadio'r Kaiser Wilhelm i roi mwy o rym i'r Reichstag, credent y gallent ddefnyddio'r nifer uchel o bleidleisiau a oedd ganddynt er mwyn newid y ffordd y câi'r Almaen ei rheoli.

Yr Almaen yn mynd i ryfel

Daeth y dadleuon hyn ymysg y sosialwyr i ben pan aeth yr Almaen i ryfel yn Awst 1914.

Fe ddechreuodd y rhyfel fel gwrthdaro rhwng dau grŵp o wledydd. Ymladdodd yr Almaen a'i phartneriaid (y Pwerau Canol) yn erbyn Prydain, Ffrainc, Rwsia a'u partneriaid (sef y Cynghreiriaid).

Yn y dechrau roedd yna gefnogaeth frwd i'r rhyfel. Deuai dynion wrth eu miloedd i ymuno â'r fyddin, gan ddisgwyl cael antur a ddeuai i ben ymhen ychydig fisoedd. Er bod y sosialwyr yn gwrthwynebu rhyfel ar egwyddor, fe gytunodd llawer ohonynt i gefnogi'r ymdrech ryfel. Ond fe barhaodd y rhyfel yn hwy nag yr oedd unrhyw un wedi'i ddisgwyl — pedair blynedd a phedwar mis. Ac fe effeithiodd y rhyfel ar fywydau'r bobl mewn ffyrdd na allent eu dychmygu pan gychwynnodd y rhyfel.

Pa effaith a gafodd y rhyfel ar bobl yr Almaen?

Yn gyntaf oll, fe grewyd prinder bwyd difrifol. Roedd llynges Prydain yn atal llongau'r Almaen rhag cludo bwyd a nwyddau o wledydd tramor. O ganlyniad, câi bwydydd sylfaenol hyd yn oed eu dogni'n llym (gw. Ffynhonnell 3).

Ffynhonnell 3

Stryd yn Berlin yn 1917. Gwelir torfeydd o bobl lwglyd yn ciwio y tu allan i Storfa Datws Fwrdeistrefol (*Städtischer Kartoffel Verkauf*) er mwyn cael tatws a ddadlwythir o'r cart yn y stryd.

Wrth i'r rhyfel lusgo yn ei flaen, roedd prinder bwyd yn troi'n broblem waeth. Mae Ffynhonnell 4 yn dangos yn glir ei bod hi'n broblem ddifrifol iawn:

Bwydlen y gweithwyr yn 1915 oedd:

1. Pryd cynnar yn y bore (5.45 a.m.): pedair tafell o fara gyda menyn neu lard ffres, caws neu selsig, coffi.
2. Brecwast (8.00 a.m.): brechdan bara a chaws a choffi.
3. Cinio canol dydd: cig neu bysgodyn, tatws (unrhyw swm).
4. Swper: cawl, cig neu bysgodyn, tatws, pys, reis neu homini*.

*__homini__ Uwd blawd india corn

Ffynhonnell 4

Taflen bropaganda a argraffwyd mewn Almaeneg a'i gollwng gan fyddin Prydain o falwnau uwchben trefi'r Almaen yn haf 1918.

Yn Ebrill 1917 roedd hi'n wahanol:

1. Brecwast: dwy dafell o fara sych a thatws.
2. Cinio: betys wedi'u coginio un diwrnod, drannoeth gwymon wedi'i goginio neu fetys ac ychydig o datws.

Ar ôl gwrthryfel pobl yr Almaen, bydd y Cynghreiriaid yn rhoi iddynt gyflenwad o fwyd a dillad... Ond ni chânt eu dosbarthu hyd nes dymchwelir awdurdod milwrol yr Almaen.

Roedd yna ysbïwyr o Brydain yn yr Almaen ac fe anfonwyd adroddiadau ganddynt yn ôl i Brydain yn sôn am effeithiau'r blocâd ar yr Almaen. Dangosodd yr adroddiadau hyn fod yr Almaen yn brin o bethau heblaw bwyd:

Ffynhonnell 5

Y Swyddfa Gartref, *The Economic Situation in Germany and Austria-Hungary, 1914-1918*, Adroddiad Cyfrinachol rhif 11025, Medi 1918.

... Yn ychwanegol at bob caledi arall, mae pobl yr Almaen y gaeaf hwn yn cael eu bygwth â phrinder goleuadau difrifol iawn: golau trydan, nwy, olew lampau a chanhwyllau. Oherwydd prinder sebon ni all pobl gadw'u hunain yn lân a chaiff afiechydon rwydd hynt i ymledu. Mae hi'n anodd cael gafael ar feddyginiaethau... Yn ardal ddiwydiannol Westphalia, ychydig iawn o ddillad sydd gan y merched. Gwisgant flows a sgert ysgafn, eu coesau'n noeth ac esgidiau pren am eu traed.

Wrth i amgylchiadau byw waethygu, fe brotestiodd mwy a mwy o weithwyr drwy streicio. A gallwn weld beth oedd cwynion gweithwyr yn Berlin drwy ddarllen yr adroddiad papur newydd isod sy'n sôn am gyfarfod streicio a gynhaliwyd ar 29 Ionawr 1918:

Ffynhonnell 6

Vortwärts ('Ymlaen' - papur newydd Plaid y Sosialwyr Democrataidd), 29 Ionawr 1918.

* **yr hawl i ymgynnull**
Yr hawl i drefnu neu fynychu cyfarfodydd cyhoeddus.

Mynnodd y cyfarfod:

- Fod heddwch yn cael ei sefydlu'n fuan...
- Gwella'r cyflenwadau bwyd...
- Adfer yn llwyr yr hawl i ymgynnull* yn ogystal â'r hawl i drafod yn rhydd...
- Rhoi diwedd ar hawl y fyddin i reoli diwydiannau.
- Rhyddhau ar unwaith bawb a gyhuddwyd neu a restiwyd am weithredu gwleidyddol.
- Yr hawl i bleidleisio yn Senedd Prwsia i bob dyn a benyw dros 20 mlwydd oed.

Cwestiynau

1 Edrychwch ar Ffynhonnell 3 a 4. Beth a ddywedant am effeithiau'r rhyfel ar bobl yr Almaen?

2 Darllenwch Ffynhonnell 5. Heblaw bwyd, pa bethau oedd yn brin oherwydd y rhyfel?

3 Yn Ffynhonnell 6 fe welir chwech o ofynion gweithwyr Berlin.
  a Pa ofynion oedd yn gysylltiedig â'r rhyfel?
  b Pa ofynion oedd yn gysylltiedig â hawliau gwleidyddol y bobl?

4 Defnyddiwch y testun a'r ffynonellau yn yr adran hon i esbonio pam yr oedd cynifer o Almaenwyr yn 1918 yn anfodlon â'u llywodraeth.

Chwyldro 1918

Amodau'n gwaethygu

Wrth i'r gaeaf agosáu yn 1918, aeth pethau o ddrwg i waeth. Roedd y cyflenwadau bwyd mor isel fel bod y mwyafrif o oedolion yn byw ar lai na 1,000 o galorïau y dydd — lefel llwgu. Oherwydd prinder tanwydd, caed toriadau trydan a phroblemau trafnidiaeth a bu'n rhaid i ffatrïoedd gau. Lladdwyd miloedd o bobl bob wythnos o'r ffliw. Penderfynodd dau o gynghreiriaid yr Almaen roi'r gorau i ymladd, a gorfodwyd byddinoedd yr Almaen i gilio.

Yn wyneb y sefyllfa waeth gartref, ac yn wyneb gorchfygiad ar faes y gad, penderfynodd byddin yr Almaen ofyn i'r Cynghreiriaid am heddwch.

Ffynhonnell 1

Lluniwyd y cartŵn hwn yn 1918 gan yr arlunydd Almaenig Raemaeker. Dengys y Kaiser Wilhelm (canol) law yn llaw â rhyfel (ar y chwith) a newyn (ar y dde).

Ymgais i gael democratiaeth

Roedd y Cynghreiriaid yn fodlon dod i delerau heddwch â'r Almaen — ond mynnent nodi amodau pendant. Roedd yn rhaid i lywodraeth yr Almaen gael ei gwneud yn fwy democrataidd cyn y byddai'r Cynghreiriaid yn fodlon trafod heddwch. Mewn geiriau eraill roedd rhaid i'r Kaiser Wilhelm rannu ei bŵer.

Ar 2 Hydref, fe wnaeth Wilhelm union hynny. Caniataodd i'r prif bleidiau yn y Reichstag, senedd yr Almaen, ffurfio llywodraeth newydd. Dros y tair wythnos ganlynol, cymerodd y llywodraeth newydd lawer o bwerau'r Kaiser a'u rhoi i'r Reichstag.

Ond nid oedd y newid hwn yn ddigon ym marn llawer. Fe drodd y farn gyhoeddus yn erbyn y Kaiser (gw. Ffynhonnell1). Roedd pobl yn ei feio ef am eu hamgylchiadau gwaeth, gan ddweud y dylai ildio ei orsedd. Roedd rhai yn dweud y dylid ei ddymchwel drwy chwyldro.

Ffynhonnell 2
Miwtini yn llynges yr Almaen. Mae'r llongwyr hyn wedi meddiannu eu llongau rhyfel yn Wilhelmshaven, yn nechrau Tachwedd 1918. Maent wedi dadlwytho ffrwydron rhyfel (chwith) oddi ar y llongau.

Miwtini yn y llynges

Dechreuwyd chwyldro ar 28 Hydref gyda phenderfyniad amhoblogaidd penaethiaid y llynges. Rhoesant orchymyn i'r llongau rhyfel yn harbwr Kiel fynd allan i'r môr. Eu nod oedd ymladd yn erbyn llynges Prydain er mwyn ennill rheolaeth ar y môr rhwng Prydain ac Ewrop.

Cafodd y llongwyr eu brawychu gan y gorchymyn. Gwyddent fod trafodaethau heddwch wedi dechrau a bod gobaith i'r rhyfel ddod i ben yn fuan. Fe ddywedon nhw mai hunanladdiad fyddai ymladd yn erbyn y Prydeinwyr, ac fe wrthodon nhw ufuddhau i'r gorchymyn. Cafodd mil o longwyr eu restio am fiwtini.

Cynhaliodd milwyr a llongwyr yn Kiel gyfarfodydd i brotestio yn erbyn y restiadau. Ofnent y byddai eu ffrindiau yn cael eu saethu am wrthryfela. Ymunodd gweithwyr â'r brotest. Dan arweinyddiaeth sosialwyr, sefydlwyd cyngor gweithwyr a milwyr, neu 'sofiet', i reoli'r dref. Daeth milwyr i atal y gwrthryfel ond cyn bo hir roeddent wedi ymuno â'r gwrthryfelwyr.

Y miwtini yn arwain at chwyldro

Fe ledaenodd miwtini Kiel fel tân gwyllt. Dros yr wythnos ganlynol, fe

Ffynhonnell 3 Sosialwyr yr Almaen yn 1918

Plaid Ddemocrataidd yr Almaen

Arweinwyr	Friedrich Ebert Philip Scheidemann
Aelodaeth	oddeutu 1,000,000

Amcanion:

1 Bydd yr Almaen yn Weriniaeth.
2 Bydd yr Almaen yn cael ei llywodraethu gan senedd genedlaethol. Caiff aelodau'r senedd eu hethol gan holl bobl yr Almaen sydd dros 18 oed.
3 Bydd y fyddin yn parhau fel prif lu arfog yr Almaen. Bydd y swyddogion yn cadw'u hawdurdod.
4 Bydd y wlad yn dal i gael ei rheoli gan y llywodraethau lleol, y llysoedd barn, yr heddlu a'r gwasanaeth sifil.
5 Bydd y prif ddiwydiannau a chwmnïau yn cael eu gwladoli'n raddol.
6 Bydd y bobl yn cael rhyddid mynegiant, hawl i ymuno ag undebau llafur, etc.
7 Budd-daliadau i weithwyr, e.e. budd-dâl gwaeledd a diweithdra, diwrnod 8 awr, etc.

Dulliau

Cynnal etholiadau ar gyfer senedd genedlaethol. Gadael i'r senedd etholedig benderfynu beth fydd dyfodol yr Almaen.

Plaid Ddemocrataidd Sosialaidd Annibynnol yr Almaen

Arweinydd	Hugo Haase
Aelodaeth	oddeutu 300,000

Amcanion

1 Bydd yr Almaen yn Weriniaeth.
2 Bydd yr Almaen yn cael ei llywodraethu gan gynghorau'r gweithwyr a'r milwyr. Caiff y cynghorau eu hethol ym mhob tref, mewn cydweithrediad â'r senedd genedlaethol.
3 Bydd y fyddin yn cael ei diwygio: caiff y swyddogion eu hethol; caiff bathodynnau rhenciau eu dileu; cynghorau'r milwyr fydd yn gyfrifol dros ddisgyblaeth. Caiff milisia cenedlaethol ei greu.
4 Bydd y prif ddiwydiannau a chwmnïau yn cael eu gwladoli ar unwaith. Bydd ystadau mawrion yn cael eu rhannu a'u gwerthu.
5 Bydd y bobl yn cael rhyddid mynegiant, hawl i ymuno ag undebau llafur, etc.
6 Budd-daliadau i weithwyr, e.e. budd-dâl gwaeledd a diweithdra, diwrnod 8 awr, etc.

Dulliau

1 Streiciau.
2 Undebau llafur yn gweithredu yn y ffatrïoedd.
3 Cydweithredu gydag Ebert hyd nes y caiff senedd ei hethol.

Cynghrair y Spartacyddion

Arweinwyr	Rosa Luxemburg Karl Liebknecht
Aelodaeth	oddeutu 5,000

Amcanion

1 Bydd yr Almaen yn Weriniaeth.
2 Bydd yr Almaen yn cael ei llywodraethu gan gynghorau'r gweithwyr a'r milwyr ym mhob tref. Dim senedd genedlaethol.
3 Bydd yr heddlu a swyddogion y fyddin yn cael eu diarfogi. Caiff y Fyddin ei dadfyddino. Sefydlir milisia i gymryd lle'r fyddin.
4 Bydd yr holl fwynfeydd, y ffatrïoedd, cwmnïau mawrion ac ystadau mawrion o dir yn cael eu gwladoli ar unwaith a'u rheoli gan y gweithwyr.
5 Bydd y bobl yn cael rhyddid mynegiant a phob rhyddid personol arall.
6 Amrediad llawn o fudd-daliadau i weithwyr.

Dulliau

1 Protestiadau a ralïau yn y strydoedd.
2 Streiciau.
3 Difrodi a llofruddio.
4 Dim cydweithio gydag Ebert. Dim cefnogaeth i'r senedd.

sefydlodd y milwyr a'r llongwyr eu sofietiaid i reoli'r trefi lle roeddent yn byw. Ym mhobman roedd swyddogion yr heddlu a'r fyddin yn ildio. Roedd y Kaiser Wilhelm yn colli rheolaeth ar ei wlad.

Ar 9 Tachwedd dywedodd Uwchreolaeth y Fyddin wrth Wilhelm na allai'r fyddin ei gefnogi mwyach. Heb fyddin, ni allai atal y chwyldro. Heb unrhyw ddewis arall o'i flaen, bu'n rhaid i Wilhelm ymddiswyddo. Cymerwyd ei le fel pennaeth y llywodraeth gan Friedrich Ebert, arweinydd y blaid sosialaidd fwyaf, sef y Blaid Ddemocrataidd Sosialaidd.

Sut lywodraeth i'r Almaen?

Unwaith roedd y Kaiser wedi mynd, dechreuodd y sosialwyr a oedd wedi cychwyn y chwyldro ddadlau ymysg ei gilydd. Roedden nhw'n anghytuno ynglŷn â pha fath o lywodraeth y dylai'r Almaen ei chael yn awr. Roedd tair ochr i'r ddadl, fel y dengys Ffynhonnell 3. Astudiwch bob un yn ofalus a cheisiwch ganfod y gwahaniaethau rhyngddynt.

Cwestiynau

1 Edrychwch ar Ffynhonnell 1.
- **a** Beth oedd y cartwnydd am i bobl ei feddwl am y Kaiser Wilhelm?
- **b** Beth oedd yn digwydd yn 1918 i wneud i lawer o Almaenwyr gasáu'r Kaiser Wilhelm?

2 Edrychwch ar Ffynhonnell 2.
- **a** Disgrifiwch yn fanwl yr hyn a welwch yn y llun.
- **b** Pam roedd hyn yn beryglus i lywodraeth yr Almaen?

3 Astudiwch Ffynhonnell 3, yna atebwch y cwestiynau hyn:
- **a** Pa amcanion oedd yn gyffredin i'r tri grŵp?
- **b** Beth oedd eu gwahanol farnau ar
  - **(i)** sut y dylai'r Almaen gael ei rheoli
  - **(ii)** dyfodol y fyddin
  - **(iii)** economi yr Almaen
  - **(iv)** dulliau ar gyfer cyflawni eu hamcanion?
- **c** Oes mwy o bethau'n debyg nag sy'n wahanol rhyngddynt? Esboniwch eich ateb.

Gwrthryfel y Spartacyddion

O blith y tri grŵp a welir ar dudalen 12, Plaid Ddemocrataidd Sosialaidd yr Almaen oedd y grŵp cryfaf ar ôl Chwyldro mis Tachwedd. A'r hyn oedd i gyfrif am hynny oedd fod arweinydd y blaid honno, sef Friedrich Ebert, wedi dod yn arweinydd y llywodraeth hefyd. Gallai ef ddefnyddio pwerau'r llywodraeth i gryfhau'r blaid. Rhoddodd orchmynion i wella amodau byw y bobl. Rhoddodd derfyn ar sensoriaeth a chaniataodd ryddid barn. Gorchmynnodd nad oedd y diwrnod gwaith i gael ei ymestyn yn hwy nag wyth awr, a gorchmynnodd hefyd fod y di-waith i gael cymorth a bod y cyflenwadau bwyd i gael eu cynyddu. O ganlyniad i hyn i gyd, enillodd gefnogaeth lawer o weithwyr a fyddai fel arall wedi cefnogi Cynghrair y Spartacyddion. Yn olaf, trefnodd fod etholiadau'n cael eu cynnal yn Ionawr 1919 ar gyfer senedd genedlaethol newydd.

Y Spartacyddion yn gwrthwynebu Ebert

Gwrthwynebai'r Spartacyddion bopeth a wnâi Ebert. Yn eu barn nhw, nid oedd ei newidiadau yn ddigon pellgyrhaeddol. Ar ddiwrnod olaf 1918, rhoesant enw newydd i'w plaid — Plaid Gomiwnyddol yr Almaen — a'u bwriad oedd cipio'r grym o'i ddwylo.

Ofni Comiwnyddiaeth

Cafodd llawer o Almaenwyr eu dychryn pan glywsant fod y Spartacyddion wedi dewis galw'u hunain yn Gomiwnyddion. Ychydig dros flwyddyn yn gynharach, roedd Comiwnyddion, dan yr enw Bolsieficiaid, wedi dymchwel llywodraeth Rwsia, y wlad a oedd yn agos at ffiniau dwyrain yr Almaen. Yn syth ar ôl i lywodraeth newydd y Bolsieficiaid gael ei sefydlu, gwnaethant newidiadau mawrion. Er enghraifft, cymerasant y tir oddi ar y landlordiaid a'i roi i'r gwerinwyr tlawd. Rhoesant yr holl fanciau a ffatrïoedd dan reolaeth y llywodraeth. Ac aethant ar ymgyrch braw yn erbyn eu gwrthwynebwyr, gan ladd ac arteithio miloedd o garcharorion gwleidyddol, a llofruddio teulu brenhinol Rwsia.

Effaith y digwyddiadau hyn oedd gyrru ofn a braw drwy Ewrop i gyd. Yn yr Almaen yn arbennig, roedd pobl y dosbarth canol a'r dosbarth uwch yn ofni y byddai Comiwnyddiaeth yn ymledu o Rwsia. Felly pan drodd y Spartacyddion yn Blaid Gomiwnyddol yr Almaen gan wneud cynlluniau i ddymchwel y llywodraeth, roedd eu hofnau i bob golwg ar fin cael eu gwireddu.

Gwrthyfel y Spartacyddion

Fe geisiodd y Spartacyddion gipio grym ar 5 Ionawr 1919. Aethant i mewn i adeiladau cyhoeddus a'u meddiannu, a threfnasant streic gyffredinol a chodi pwyllgor chwyldroadol. Crwydrodd grwpiau ohonynt ar hyd y strydoedd gan saethu gynnau a chodi baneri cochion, symbol Comiwnyddiaeth (gw. tt 4-5).

Ond methiant fu gwrthryfel y Spartacyddion. Y diwrnod cyn iddynt ddechrau gwrthryfela, roedd Ebert wedi creu corfflu gwirfoddol oedd yn cynnwys 4,000 o filwyr. Y Corfflu Rhydd oedd eu teitl ac roeddent yn ddynion caled. Roedd yn gas ganddynt Gomiwnyddiaeth ac roeddent wrth eu bodd yn ymladd. Roeddent yn gorfflu disgybledig a chanddynt ddigon o arfau.

Ar 10 Ionawr fe ymosododd y Corfflu Rhydd. Llwyddasant i feddiannu adeilad papur newydd a oedd dan reolaeth y Spartacyddion. Saethwyd nifer o'r Spartacyddion a chafodd y gweddill eu curo. Drannoeth fe feddiannodd y Corfflu bob adeilad arall yng nghanol Berlin a oedd ym meddiant y Spartacyddion. Ddeuddydd yn ddiweddarach fe ddaliasant arweinwyr y Spartacyddion, Rosa Luxemburg a Karl Liebknecht, a'u llofruddio.

Roedd y gwrthryfel wedi methu.

Ffynhonnell 1

Y Spartacyddion yn ymladd yn erbyn y Corfflu Rhydd yn un o strydoedd Berlin yn 1919.

Pam y bu cymaint o drais yng ngwrthryfel y Spartacyddion?

Beth oedd yn y fantol yng ngwrthryfel y Spartacyddion? Pam y brwydrodd y Sosialwyr mor ffyrnig yn erbyn y Comiwnyddion?

Un o'r rhesymau oedd yr etholiad cyffredinol, oedd i gael ei gynnal ym mis Ionawr, ar gyfer senedd newydd. Ni chredai'r Spartacyddion y byddai'r senedd newydd yn gwneud yr Almaen yn wirioneddol ddemocrataidd. Meddai Rosa Luxemburg, un o arweinwyr y Spartacyddion:

Ffynhonnell 2

Freiheit ('Rhyddid'), 17 Tachwedd 1918. Hwn oedd papur newydd Plaid Ddemocrataidd Sosialaidd Annibynnol yr Almaen.

> Dydy Sosialaeth ddim yn golygu dod at ein gilydd mewn senedd a phenderfynu ar ddeddfau. I ni, ystyr sosialaeth yw dinistrio'r dosbarthiadau llywodraethol gyda'r holl drais y gall y dosbarth gweithiol ei ddatblygu.

Credai Rosa Luxemburg y byddai'r senedd newydd yn rhoi mwy o rym i'r dosbarth canol nag i'r dosbarth gweithiol. Roedd hi'n awyddus i'r Almaen gael ei rheoli gan y sofietiaid — cynghorau'r gweithwyr a'r milwyr — a grëwyd yn Chwyldro Tachwedd. Pan ddywedodd ei gwrthwynebwyr y byddai hynny'n golygu 'unbennaeth y dosbarth gweithiol', fe ysgrifennodd:

Ffynhonnell 3

Rosa Luxemburg, *Die Nationalversammlung* (Y Cynulliad Cenedlaethol), 1918.

> Mae unbennaeth y dosbarth gweithiol yn golygu democratiaeth yn yr ystyr sosialaidd . . . Mae'n golygu defnyddio pob grym gwleidyddol i gael gwared ar y dosbarth cyfalafol* . . . Hynny yw, mae'n golygu ein bod yn datgan rhyfel yn erbyn cyfalafiaeth.

* **Y dosbarth cyfalafol** Pobl y dosbarth canol a'r dosbarth uwch megis bancwyr, perchnogion ffatrïoedd neu dirfeddianwyr.

Caiff y farn hon ei hadlewyrchu yn y poster yn Ffynhonnell 4.

Ffynhonnell 4

Mae'r geiriau ar y poster hwn yn dweud, 'Pleidleisiwch dros Spartacus.' Gwelir dwrn anferth yn malu siambr senedd yr Almaen, gan orfodi aelodau'r senedd i ddianc.

Dechreuodd gwrthryfel y Spartacyddion ar 5 Ionawr, bythefnos cyn yr etholiad seneddol. Cyhoeddodd y llywodraeth y poster hwn sy'n feirniadol o agwedd Rosa Luxemburg tuag at ddemocratiaeth:

Ffynhonnell 5

Dyfynnir yn Eric Waldman, *The Spartacist Rising of 1919*, 1958.

Gyd-ddinasyddion!

Mae'r Spartacyddion yn ymladd i gael grym llwyr. Bwriadant ddymchwel drwy drais y llywodraeth sy'n awyddus i'r bobl gael dewis eu dyfodol yn rhydd (drwy bleidleisio mewn etholiad). Dydy'r Spartacyddion ddim am i'r bobl gael yr hawl i fynegi eu barn... A dyma'r canlyniadau. Lle mae'r Spartacyddion yn rheoli, caiff rhyddid ei ddinistrio. Caiff y papurau newydd eu gwahardd. Mae'r traffig ar stop. Mae rhannau o Berlin yn debyg i frwydr waedlyd. Mewn rhannau eraill does dim dŵr na goleuni. Ymosodir ar storfeydd bwyd. Caiff cyflenwadau bwyd eu hatal. Mae'r llywodraeth yn cymryd pob cam angenrheidiol i ddinistrio'r gwrthryfel hwn.

Yn y poster yn Ffynhonnell 6 a gyhoeddwyd yn nechrau1919, gwelir tystiolaeth bellach pam roedd y llywodraeth yn casáu'r Spartacyddion.

Ffynhonnell 6

Lluniwyd y poster hwn gan y llywodraeth yn Ionawr 1919. Dangosir anghenfil yn dod i'r Almaen o Rwsia. Dywed yr ysgrifen 'Mae'r Famwlad mewn perygl' (llinellau 1-2). 'Mae Comiwnyddiaeth (Bolschewismus), fel ton anferth, yn bygwth ein gwlad!' (llinellau 3-4).

Cwestiynau

1 Astudiwch Ffynonellau 2 a 3. Ceisiwch ddod o hyd i ddau beth y dywedodd y Spartacyddion y byddent yn eu dinistrio pe baent yn dod i rym.

2 Edrychwch ar Ffynhonnell 4. Gwelir Spartacydd yn malu senedd yr Almaen. Yn lle senedd, beth roedd y Spartacyddion yn awyddus i'w gael i reoli'r Almaen?

3 Astudiwch Ffynonellau 5 a 6. Yn eich geiriau eich hun, esboniwch sut roedd y posteri hyn yn ceisio cael pobl i feddwl bod Comiwnyddiaeth yn beryglus.

4 Defnyddiwch Ffynonellau 2-6 yn ogystal â'r testun yn yr adran hon i esbonio pam y bu ymladd mor ffyrnig rhwng y Spartacyddion a'u gwrthwynebwyr yn 1919.

Gweriniaeth Weimar

Ar 19 Ionawr 1919, aeth 30 miliwn o Almaenwyr i'r bythau pleidleisio i ethol senedd newydd. Aeth y mwyafrif o'r pleidleisiau i dair plaid a oedd yn gefnogol i Ebert — Plaid Ddemocrataidd Sosialaidd yr Almaen, Plaid y Canol a'r Democratiaid.

Cynhaliwyd cyfarfod cyntaf y senedd newydd ar 6 Chwefror. Oherwydd yr ymladd rhwng y Spartacyddion a'r Corfflu Rhydd yn Berlin, cynhaliwyd y senedd mewn tref o'r enw Weimar yn ne'r Almaen. Y peth cyntaf a wnaeth y senedd oedd ethol Ebert yn Arlywydd yr Almaen. Yr ail beth a wnaeth oedd llunio cyfansoddiad* i'r Almaen.

* **cyfansoddiad** Set o reolau yn dweud sut y dylai'r wlad gael ei llywodraethu.

Sut y cafodd yr Almaen ei newid gan y cyfansoddiad?

Pan gyhoeddwyd y cyfansoddiad yn Awst 1919, roedd llawer o bobl yn ei ganmol. Pam?

Yn gyntaf, roedd yn rhoi'r hawl i bleidleisio i ddynion a merched dros 20 oed. Dim ond ychydig o wledydd bryd hynny oedd yn caniatáu i ferched bleidleisio.

Yn ail, fe ddefnyddiodd gynrychiolaeth gyfrannol i benderfynu pa bleidiau a gâi seddau yn y senedd. Credid bod y dull hwn yn decach na'r dulliau a ddefnyddid mewn gwledydd eraill oherwydd ei fod yn rhoi cyfran o'r seddau i bleidiau bach yn ogystal â'r rhai mawr.

Yn drydydd, roedd y cyfansoddiad yn rhoi llawer o hawliau sifil i lawer o bobl. Roedd gan yr Almaenwyr yn awr hawl i fynegi barn. Gallent deithio'n

Ffynhonnell 1
Sut y câi Gweriniaeth Weimar ei llywodraethu.

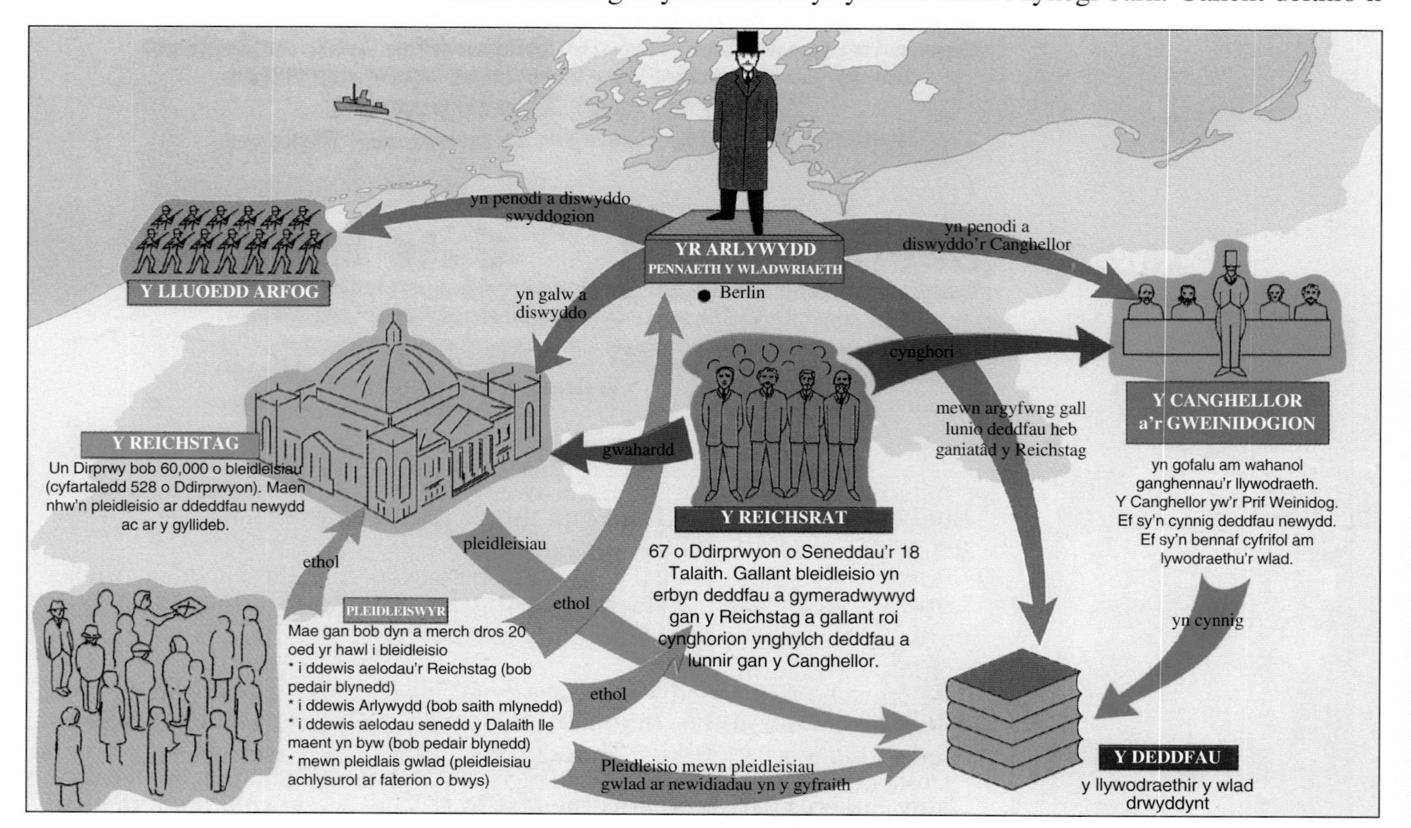

Ffynhonnell 2

Gweriniaeth Weimar yn nechrau 1919 — ffederasiwn o 18 *Länder* (talaith), pob un gyda'i senedd a'i llywodraeth etholedig i ofalu am faterion lleol. Roedd y taleithiau i gyd yn atebol i lywodraeth y wladwriaeth yn Berlin.

rhydd a chynnal cyfarfodydd gwleidyddol. Roedd ganddynt hawl i addoli fel y mynnent. Doedd dim llawer o wledydd yn y cyfnod hwnnw yn rhoi cymaint o ryddid a hawliau i'w pobl.

Yn bedwerydd, roedd yna ddau dŷ'r cyffredin, sef y Reichstag a'r Reichsrat. Roedd aelodau'r Reichstag yn cael eu hethol yn uniongyrchol gan y bobl i gyd. Roedd y Reichsrat yn cynnwys aelodau etholedig o 18 talaith yr Almaen (gw. Ffynhonnell 2). Yn y rhan fwyaf o wledydd gyda senedd, dim ond aelodau un tŷ a gâi eu hethol gan y bobl.

Yn bumed, câi'r Arlywydd ei ethol gan y bobl.

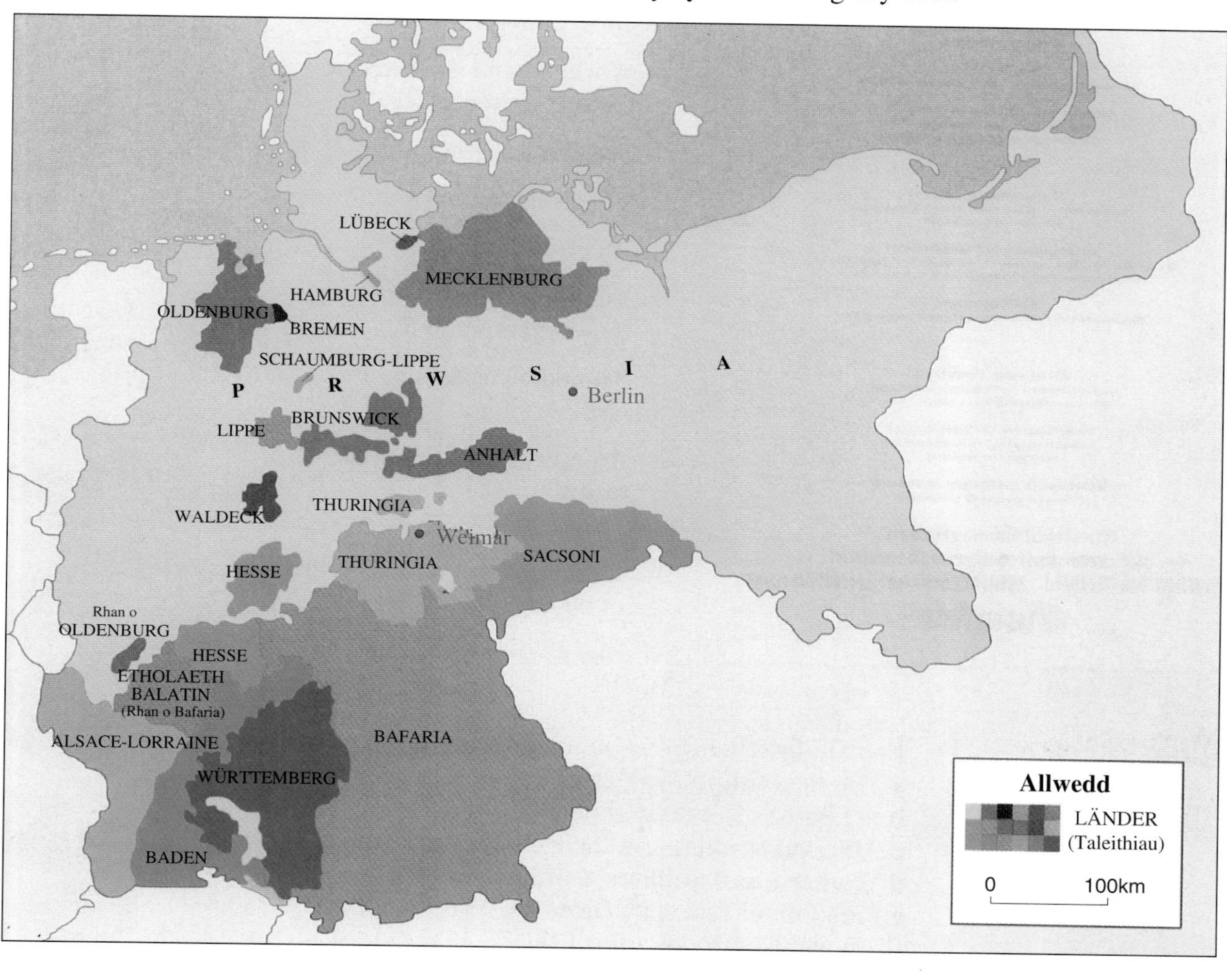

Cwestiynau

1 **a** Astudiwch Ffynonellau 1 a 2, tt.6-7, a Ffynonellau 1 a 2, tt. 18-19.
b Lluniwch dair colofn ar un dudalen. Yn y golofn gyntaf, rhowch y penawdau hyn:
- Pennaeth y wladwriaeth
- Y pleidleiswyr
- Dull pleidleisio
- Y Reichstag (senedd)
- Y llywodraeth
- Y taleithiau

c Yn yr ail golofn rhestrwch y newidiadau a ddigwyddodd i'r Almaen o ganlyniad i gyfansoddiad Weimar. Yn y drydedd golofn, rhestrwch pa newidiadau na ddigwyddodd i'r Almaen o ganlyniad i gyfansoddiad Weimar. Mae'r holl wybodaeth yn y ffynonellau.

2 Astudiwch golofnau 2 a 3. I ba raddau y daeth newidiadau i'r modd y câi'r Almaen ei llywodraethu o ganlyniad i'r cyfansoddiad? Esboniwch eich ateb.

Adolygu Uned 1

Ymddangosodd y poster hwn yn yr Almaen yn 1919. Astudiwch y geiriau a gyfieithwyd ac yna atebwch y cwestiynau isod. Cewch gymorth i'w hateb yn Uned 1 (tt. 4-19).

Was hat uns
die Revolution gebracht?

Eine Volksrepublik!
Gleiches Wahlrecht! Frauenwahlrecht!
Wahlrecht vom 20. Jahre an!

Alle Dynastien
und ihr Hof verschwunden! Eine sozialistische Regierung:

Arbeiter- und Soldatenräte überall!
Das privilegierte Herrenhaus beseitigt!
Das Dreiklassen-Abgeordnetenhaus aufgelöst!

Versammlungsfreiheit!
Koalitionsfreiheit! Preßfreiheit! Freie Religionsübung!
Aufhebung der Schulaufsicht!

Zerschmetterung des Militarismus!
Gleiche Kost für Offizier und Mann! Erhöhung der Mannschaftslöhne
Sofortige Entlassung aller alten Leute und der Berufswichtigen!

Achtstundentag!
Arbeitslosenfürsorge! Arbeitgeber und Arbeiter gleichberechtigt!

Gemeinsame Verwaltung
der Arbeitsnachweise durch Arbeitgeber und Arbeiter!
Alle Arbeiterschutzbestimmungen wieder eingesetzt!

Aufhebung der Gesindeordnung!
Landlieferungsverbände für Siedelungsland!
Aufhebung der Gutsbezirke!

Erhöhung der allgemeinen Brotration!
Öffnung der Grenzen für Lebensmittel!

So viel ist schon errungen –
viel mehr muß noch erreicht werden!
Schließt die Reihen! Hütet Euch vor Zersplitterung!
Einigkeit!

Beth y mae'r Chwyldro wedi ei roi i ni?

Gweriniaeth y Bobl!

Mae pob teulu brenhinol wedi diflannu

Cynghorau Gweithwyr a Milwyr ym mhobman!

Rhyddid i Gynnal Cyfarfodydd!

Dinistrio militariaeth!

Diwrnod wyth awr!

Gweithwyr a chyflogwyr i fod yn gyfrifol am benodi i swyddi!

Diwedd rheolau rhwystrol i weithwyr amaethyddol!

Cynyddu'r dogn bara

Mae cymaint wedi ei gyflawni eisoes. Rhaid cyflawni llawer mwy!

Undod!

Cwestiynau

1 Esboniwch yn fyr yn eich geiriau eich hun beth oedd ystyr y canlynol yn y poster:
 a Y Chwyldro (llinell 2)
 b Gweriniaeth y Bobl (llinell 3)
 c Mae pob teulu brenhinol wedi diflannu (llinellau 6-7)
 ch Cynghorau Gweithwyr a Milwyr (llinell 8)
 d Rhyddid i Gynnal Cyfarfodydd (llinellau 11-13)
 dd Diwrnod wyth awr (llinell 17)

2 Roedd y poster yn canmol y pethau da a gyflawnwyd oherwydd y Chwyldro. Ond ni ddywedir pwy yw'r awdur. Yn eich barn chi, pa un o'r canlynol oedd yr un mwyaf tebygol o fod wedi ysgrifennu'r poster? Esboniwch eich ateb.
 a Cynghrair y Spartacyddion
 b Plaid Ddemocrataidd Sosialaidd Annibynnol yr Almaen
 c Llywodraeth yr Arlywydd Ebert
 ch Y Corfflu Rhydd

3 Dim ond y pethau da a ddaeth o'r Chwyldro a enwir yn y poster. Yn eich barn chi, oedd yna unrhyw ganlyniadau drwg i'r Chwyldro y dylid eu henwi i gael darlun cytbwys? Esboniwch eich ateb.

Uned 2. Bygythiadau i ddemocratiaeth: argyfwng 1919-23

Bu llawer o drafferthion yn ystod pum mlynedd gyntaf Gweriniaeth Weimar. Dechreuodd y trafferthion pan fu'n rhaid i'r llywodraeth newydd arwyddo cytundeb heddwch llym oedd yn gorfodi'r Almaen i ildio llawer iawn o dir, offer ac arian i'r Cynghreiriaid. Roedd y rhan fwyaf o'r Almaenwyr yn casáu'r cytundeb. Yn wir, cafodd cannoedd o wleidyddion a gytunodd i arwyddo'r cytundeb eu llofruddio gan gyn-filwyr. Ceisiodd eithafwyr ddymchwel y llywodraeth. Ac oherwydd i'r Almaen fethu glynu wrth amodau'r cytundeb, fe ymosododd Ffrainc ar yr Almaen yn 1923 a bu cwymp yn economi'r Almaen. Roedd y problemau hyn yn bygwth lladd y drefn ddemocrataidd a grëwyd yn 1919.

Ni wnaeth Chwyldro 1918 roi terfyn ar y caledi roedd pobl yn ei ddioddef. Mae'r llun hwn yn dangos merched, dynion a phlant yn ciwio i brynu wyau, menyn a chaws yn Berlin yn 1922.

Yr 'heddwch gorfodol'

Y cadoediad

Daeth y Rhyfel Byd Cyntaf i ben ar 11 Tachwedd 1918 pan arwyddodd yr Almaenwyr gadoediad rhyngddyn nhw a'r Cynghreiriaid. Mae cadoediad yn golygu cytundeb i roi'r gorau i ymladd tra bo cytundeb heddwch yn cael ei lunio.

Pan arwyddwyd y cadoediad, fe gredai'r Almaenwyr mai sylfaen y cytundeb fyddai'r cynllun Pedwar Pwynt ar Ddeg a luniwyd gan yr Arlywydd Wilson o Unol Daleithiau America. Gan fod y cynllun hwnnw'n cynnwys nifer o syniadau teg a democrataidd, roedd yr Almaenwyr yn cymryd yn ganiataol y byddai'r cytundeb heddwch hefyd yn deg a democrataidd.

Cynhadledd heddwch Paris

Cynhaliwyd cynhadledd heddwch ym Mharis i lunio'r cytundeb, a dechreuodd y gynhadledd ar ei gwaith yn Ionawr 1919. Ond ni chafodd yr Almaenwyr gyfle i gymryd rhan yn y gynhadledd. Ni chawsant chwaith unrhyw wybodaeth am y trafodaethau. Gan eu bod yn y tywyllwch ynghylch y trafodaethau, roedd y rhan fwyaf o'r Almaenwyr yn dal i gredu y byddai'r cytundeb yn un teg ac wedi'i sylfaenu ar y Pedwar Pwynt ar Ddeg.

Ond fe chwalwyd eu gobeithion ar 7 Mai 1919 pan roddwyd y cytundeb gorffenedig gerbron llywodraeth yr Almaen. Roedd y cytundeb yn llawer mwy llym na'r hyn roeddent wedi'i ddisgwyl.

Amodau'r cytundeb

Dim ond rhan gyntaf y cytundeb oedd wedi'i seilio ar y Pedwar Pwynt ar Ddeg. O ganlyniad i'r rhan honno fe grëwyd corff arbennig i gadw heddwch yn y byd, sef Cynghrair y Cenhedloedd. Pwrpas gweddill y cytundeb oedd gwanhau'r Almaen i'r fath raddau fel na allai fyth wedyn ymladd rhyfel arall.

Mae Ffynhonnell 1 yn dangos bod y cytundeb wedi cymryd 70,000 kilometr sgwâr o dir oddi ar yr Almaen a'i roi i wledydd cyfagos. Cymerwyd hefyd holl drefedigaethau tramor yr Almaen oddi arni. Bu cwtogi llym ar faint ei byddin a'i llynges a chollodd yr hawl i gadw ei llu awyr. Byddai byddinoedd y Cynghreiriaid yn meddiannu pob rhan o'r Almaen i'r gorllewin o afon Rhein. Ni châi lluoedd yr Almaen fynd yn nes na 50 kilometr at afon Rhein.

Yn olaf, roedd y cytundeb yn beio'r Almaen am ddechrau'r Rhyfel Byd Cyntaf ac am beri holl golledion y Cynghreiriaid. Roedd y cytundeb yn gorfodi'r Almaen i dalu iawndal i'r Cynghreiriaid — hynny yw, costau ailadeiladu ar ôl y rhyfel.

Ymateb yr Almaen i'r cytundeb

Ymatebodd yr Almaen gyda storm o brotest. Cynhaliwyd protestiadau torfol yn erbyn y cytundeb. Caewyd theatrau a'r cyffelyb. Dechreuwyd cyfnod o alar cenedlaethol.

Protestiodd llywodraeth yr Almaen yn ffyrnig ond ni allent berswadio'r Cynghreiriaid i newid y cytundeb. Rhoddodd y Cynghreiriaid bum niwrnod i'r Almaenwyr dderbyn y cytundeb. Pe baent yn gwrthod ei dderbyn, byddai'r Cynghreiriaid yn goresgyn eu gwlad.

Roedd llawer o'r Almaenwyr o blaid ymladd yn erbyn y Cynghreiriaid yn hytrach nag arwyddo'r cytundeb. Ond fe rybuddiwyd y llywodraeth gan gadfridogion y fyddin y câi eu byddin ei gorchfygu pe ceisient wrthwynebu. Yn anfodlon fe bleidleisiodd senedd yr Almaen o blaid derbyn y cytundeb. Ar 28 Mehefin, aeth dau o weinidogion y llywodraeth i Balas Versailles, ger Paris. Yno fe arwyddwyd y cytundeb, ac enw'r cytundeb o hynny ymlaen oedd Cytundeb Versailles.

Ffynhonnell 1

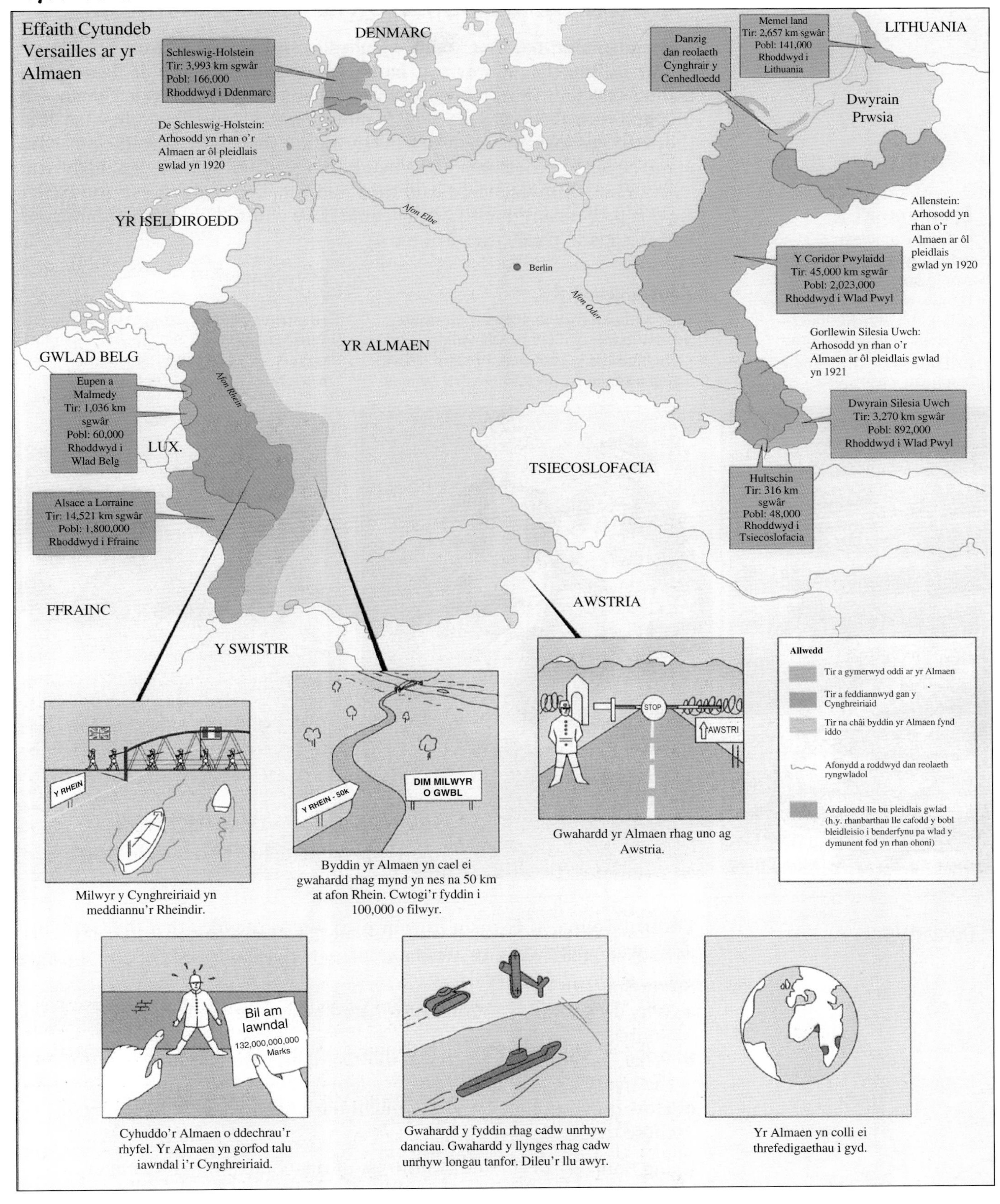

Milwyr y Cynghreiriaid yn meddiannu'r Rheindir.

Byddin yr Almaen yn cael ei gwahardd rhag mynd yn nes na 50 km at afon Rhein. Cwtogi'r fyddin i 100,000 o filwyr.

Gwahardd yr Almaen rhag uno ag Awstria.

Cyhuddo'r Almaen o ddechrau'r rhyfel. Yr Almaen yn gorfod talu iawndal i'r Cynghreiriaid.

Gwahardd y fyddin rhag cadw unrhyw danciau. Gwahardd y llynges rhag cadw unrhyw longau tanfor. Dileu'r llu awyr.

Yr Almaen yn colli ei threfedigaethau i gyd.

Pam roedd yr Almaenwyr yn casáu Cytundeb Versailles?

Roedden nhw'n casáu Cytundeb Versailles am dri phrif reswm. Yn eu barn nhw: 1. Roedd e'n rhy lym; 2. Roedd e'n orfodol – roedd e'n 'Diktat' (gw. Ffynhonnell 3). 3. Yn bennaf, roedden nhw'n teimlo nad oedden nhw wedi colli'r rhyfel. Yn eu barn nhw, roedd y gwleidyddion sosialaidd a fu'n trafod heddwch yn Nhachwedd 1918 wedi bradychu'r Almaen. Nhw oedd 'Troseddwyr Tachwedd': roedden nhw wedi 'rhoi cyllell yng nghefn y fyddin'. Hynny yw, roedden nhw'n credu y byddai'r fyddin wedi llwyddo i ennill y rhyfel pe na bai'r gwleidyddion wedi arwyddo'r cytundeb heddwch (gw. Ffynhonnell 4).

Ffynhonnell 2

Cafodd y llun hwn ei gyhoeddi mewn llyfrau gosod ar gyfer plant ysgol yr Almaen yn 1933. Dangosir bod yr Almaen wedi colli pobl, tir, gwartheg, gwenith, rhyg (rye), tatws, pyllau glo, sinc, mwyn haearn a llongau masnach.

Ffynhonnell 3

Mae'r cartŵn hwn yn dangos Almaenwr yn arwyddo'r cytundeb. Mae pump o'r Cynghreiriaid — yr Eidal, Prydain, UDA, Japan a Ffrainc — yn ei fygwth â gynnau.

Ffynhonnell 4

Mae'r poster hwn o 1924 yn gofyn 'Pwy yn y Rhyfel Byd a roddodd gyllell yng nghefn byddin yr Almaen...?' Cyhuddir Plaid Sosialaidd Ddemocrataidd yr Almaen o wneud hynny.

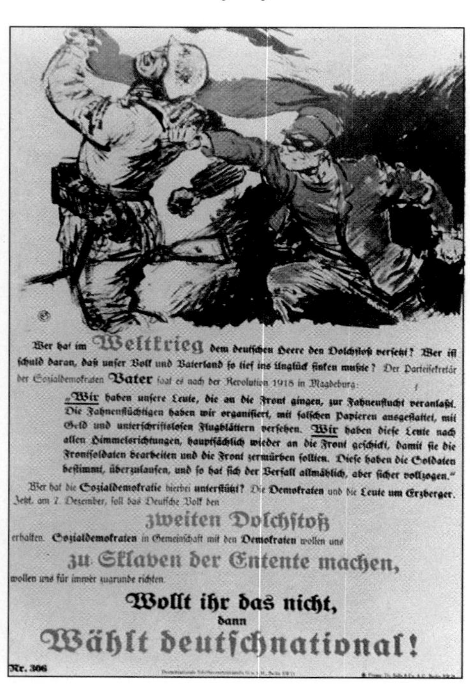

Cwestiynau

1 Edrychwch ar Ffynhonnell 4. Esboniwch yn eich geiriau eich hun y syniad fod byddin yr Almaen wedi cael 'cyllell yn ei chefn'.

2 Astudiwch Ffynonellau 1 a 2.

   a Pam roedd yr Almaenwyr yn casáu gorfod colli'r tir a ddangosir yn Ffynhonnell 1?

   b Yn ôl Ffynhonnell 2, beth arall a gollodd yr Almaen o ganlyniad i'r cytundeb heddwch?

   c Fe gollodd yr Almaen lawer o bethau. Yn eich barn chi, beth fyddai effaith hynny ar yr Almaen?

3 Gan ddefnyddio Ffynonellau 1-4, gwnewch restr fer o gwynion pobl yr Almaen yn erbyn Cytundeb Versailles.

Gwrthryfel a llofruddio

Cafodd llywodraeth newydd 1919 ei derbyn yn fuan gan y rhan fwyaf o Almaenwyr. Ond roedd yr eithafwyr yn benderfynol o'i gwrthwynebu. Dros y pum mlynedd nesaf bu cyfres o wrthryfeloedd arfog neu *putschs* yn erbyn y llywodraeth.

Gwrthryfel Kapp

Bu ond y dim i'r gwrthryfel cyntaf lwyddo. Digwyddodd ym Mawrth 1920 pan orymdeithiodd 5,000 o filwyr y Corfflu Rhydd i mewn i Berlin (gw. Ffynhonnell 1). Dihangodd y llywodraeth o'r ddinas. Dywedodd arweinydd y gwrthryfelwyr, cenedlaetholwr eithafol o'r enw Doctor Kapp, eu bod yn sefydlu llywodraeth newydd gydag ef yn ben. Ei fwriad oedd adfer y tir roedd yr Almaen wedi'i golli o ganlyniad i Gytundeb Versailles, ac ailadeiladu cryfder milwrol yr Almaen.

Cafodd Kapp ei orchfygu gan bobl Berlin. Trefnwyd streic gyffredinol gan weithwyr yn y ddinas. O ganlyniad, daeth Berlin i stop. Doedd dim trenau na bysiau'n rhedeg. Doedd dim dŵr, nwy na thrydan. Gwrthododd y gweision sifil roi arian iddo. Felly, bu'n rhaid i Kapp roi'r gorau i'w gynlluniau. Ar 18 Mawrth fe ddihangodd ef a'i gefnogwyr i Sweden ac fe ddychwelodd y llywodraeth i Berlin.

Ffynhonnell 1

Cefnogwyr Doctor Kapp (milwyr y Corfflu Rhydd) yn cyrraedd Berlin ym Mawrth 1920.

Gwrthryfel Coch yn Rhanbarth Diwydiannol Ruhr

Yn syth ar ôl i Kapp ddianc, fe geisiodd gweithwyr mewn sawl rhan o'r Almaen ddechrau chwyldro comiwnyddol. Yn rhanbarth diwydiannol Ruhr, fe ffurfion nhw 'Fyddin Goch' a chymryd yr awenau mewn nifer o drefi. Ymateb y llywodraeth oedd anfon milwyr y Corfflu Rhydd yn ogystal â milwyr o'r fyddin reolaidd i mewn i ardaloedd y gwrthryfelwyr. Bu ymladd ffyrnig a lladdwyd mil o weithwyr.

Llofruddio gwleidyddol

Ar ôl i'r llywodraeth ddefnyddio unedau'r Corfflu Rhydd i orchfygu'r gwrthryfel coch yn rhanbarth Ruhr, cafodd y Corfflu ei ddadfyddino. Yna daeth rhai o'r cyn-aelodau at ei gilydd mewn sgwadiau llofruddio er mwyn dal ati i ymladd yn erbyn y sosialwyr a'r comiwnyddion. Rhwng 1921 ac 1923 fe lofruddion nhw 356 o bobl, gan gynnwys sawl gwleidydd amlwg.

Helyntion 1923

Roedd 1923 yn flwyddyn llawn argyfwng. Bu cwymp yn economi'r Almaen. Meddiannwyd Sacsoni a Thuringia gan sosialwyr a chomiwnyddion. Yn Hamburg cafodd ardaloedd dosbarth-gweithiol eu meddiannu gan weithwyr. Yn y Rheindir, fe geisiodd nifer o grwpiau dorri'n rhydd oddi wrth yr Almaen a ffurfio gwladwriaethau annibynnol. Yn y dwyrain, cafodd tref o'r enw Küstrin ei meddiannu gan filwyr a elwid yn Reichswehr Du. Ac ym München, prifddinas Bafaria, fe geisiodd y Blaid Genedlaethol Sosialaidd, neu'r Blaid Natsïaidd, ddechrau'r hyn a alwent yn 'Chwyldro Cenedlaethol'.

Ffynhonnell 2
Trais gwleidyddol yn yr Almaen, 1919-23.

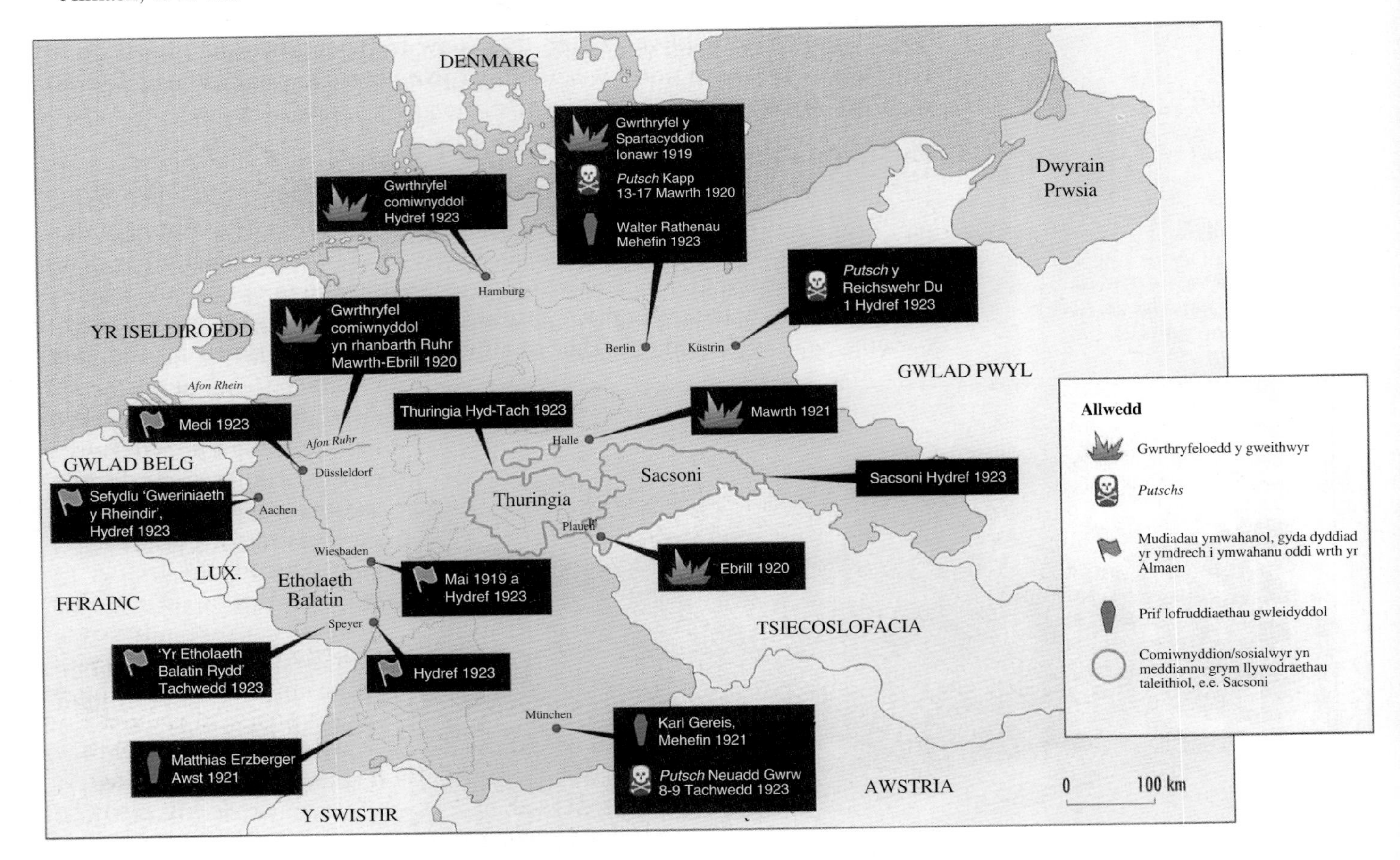

Pam roedd yna gymaint o drais rhwng 1919 ac 1923?

Un ffordd o ateb y cwestiwn hwn yw drwy archwilio cymhellion pobl a ddefnyddiai drais yn erbyn y llywodraeth. Yn gyntaf, y Corfflu Rhydd. Mae Ffynhonnell 3 yn dangos poster recriwtio a gyhoeddwyd mewn papur newydd yn Berlin yn 1919.

Ffynhonnell 3
Vorwärts ('Ymlaen'), Berlin, Ionawr 1919.

GYFFEILLION

Dydy perygl y Spartacyddion ddim wedi'i orchfygu eto.
Mae'r Pwyliaid* yn meddiannu mwy fyth o dir yr Almaen.
A fedrwch chi weld pethau o'r fath heb falio?
NA!
Meddyliwch beth a ddywedai eich cyfeillion marw!
Filwyr, codwch! Peidiwch â gadael i'r Almaen dyfu'n destun sbort y byd.
Ymunwch HEDDIW Â CHORFFLU RHYDD HUELSEN

* **Y Pwyliaid** Milwyr o Wlad Pwyl, oedd yn ceisio cymryd tir oddi wrth yr Almaen.

Yn Ffynhonnell 4 gwelir rhan o lythyr oddi wrth filwr yn y Gwarchodlu Rhydd at ei deulu:

Ffynhonnell 4

Maximilien Scheer, *Blut und Ehre* ('Gwaed ac Anrhydedd'), 1937

* **Cochion** Comiwnyddion.
* **Croes Goch** Y Blaid Gomiwnyddol yw'r ystyr fan hyn.

Wischerhöfen, 2 Ebrill 1920

Mae brwdfrydedd (y Corfflu Rhydd) yn wych — yn anghredadwy. Bu dwy farwolaeth yn ein bataliwn ni, cafodd y Cochion 200-300 o golledion. Caiff unrhyw un sy'n syrthio i'n dwylo ni ei gam-drin a'i ladd... Mi ddaru ni hyd yn oed saethu deg nyrs o'r Groes Goch* yn y fan a'r lle am fod ganddyn nhw bistolau. Mi gafon ni foddhad yn saethu'r merched bach hynny — er iddyn nhw bledio arnon ni i arbed eu bywydau. Dim gobaith! Mae unrhyw un â gwn yn elyn i ni.

Pam y defnyddiodd y comiwnyddion drais yn erbyn y llywodraeth? Mae Ffynhonnell 5 yn awgrymu un ateb. Rhan ydyw o lythyr a anfonwyd yn 1919 at bapur newydd a gefnogai'r Democratiaid Sosialaidd.

Ffynhonnell 5

Westfälische Allgemeine Volkszeitung ('Amserau Pobl Westphalia'), 13 Mawrth 1919.

Nid yw ein llywodraeth ni yn gwneud unrhyw beth i sicrhau bod bwyd yn cael ei ddosbarthu'n deg... Gwelir bacwn yn ffenestri siopau'r cigyddion ond ni all y gweithwyr fforddio'i brynu... Bob dydd mae 800 o bobl yn marw o newyn...ac nid plant y cyfoethogion yw'r plant sy'n marw. Am ba hyd y caniateir i'r fath anghyfiawnder barhau? ... Yn gynt na'r disgwyl, efallai, fe geir streic gyffredinol i gael gwared ar y llywodraeth hon.

Yn 1920, fe gyhoeddwyd y farn a ganlyn mewn papur newydd comiwnyddol yn rhanbarth diwydiannol Ruhr:

Ffynhonnell 6

Dortmunder General-Anzeiger ('Cofnodydd Dortmund'), 20 Mawrth 1920.

* **baner goch** Baner y comiwnyddion
* **Sofietau** Cynghorau llywodraethol o weithwyr a milwyr

Un achubiaeth sydd yna i bobl yr Almaen. Rhaid i'r faner goch* chwifio dros yr Almaen i gyd. Rhaid i'r Almaen droi'n Weriniaeth o Sofietau* ac, mewn undod â Rwsia, yn fan cychwyn ... Chwyldro Byd a Byd Sosialaidd.

Yn Hamburg, bu comiwnydd o Rwsia, o'r enw Larissa Reisner, yn dyst i wrthryfel y comiwnyddion yn 1923. Meddai yn ei dyddiadur:

Ffynhonnell 7

Addaswyd o Larissa Reisner, *Hamburg at the Barricades*, 1924.

Ers Awst y llynedd mae Hamburg wedi datblygu'n arena un frwydr gyflog ar ôl y llall (ac) yn frwydr am ddiwrnod wyth awr... Datblygodd hefyd yn arena wleidyddol: llywodraeth y gweithwyr, rheolaeth ar y ffatrïoedd, ac yn y blaen...

Cwestiynau

1. Darllenwch Ffynhonnell 3. Nodwch o leiaf dair ffordd y ceisiodd y poster berswadio dynion i ymuno â'r Corfflu Rhydd.
2. A barnu oddi wrth Ffynhonnell 4, pa fath o ddynion a ymunodd â'r Corfflu Rhydd?
3. Yn Ffynonellau 5, 6 a 7 ceir dau fath o reswm pam y defnyddiwyd trais gan y comiwnyddion yn erbyn y llywodraeth. Un o'r rhesymau oedd y rheswm economaidd — hynny yw, ynghylch cael mwy o rym a mwy o ddweud yn y ffordd y câi'r wlad ei rheoli. Gan ddefnyddio Ffynonellau 5, 6 a 7, lluniwch restr fer yn nodi (a) rhesymau economaidd, a (b) rhesymau gwleidyddol pam y defnyddiwyd trais gan y comiwnyddion yn erbyn y llywodraeth.

Iawndal a rhanbarth diwydiannol Ruhr

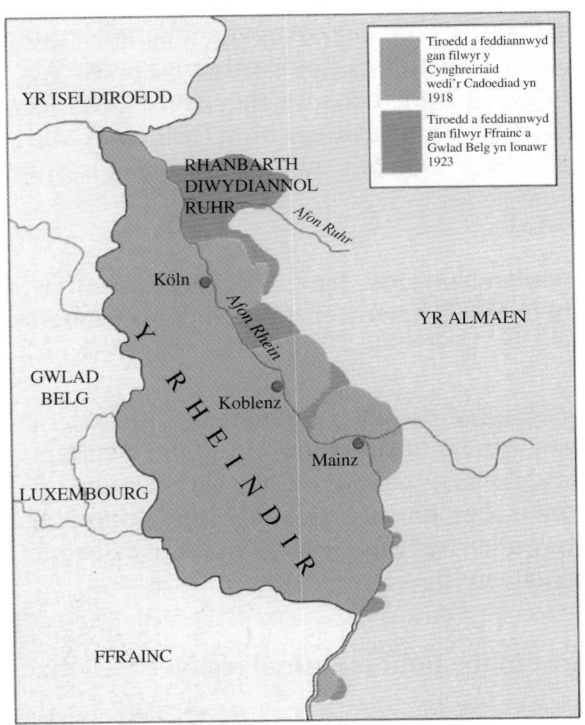

Ffynhonnell 1
Tiroedd a feddiannwyd yn Nyffryn Ruhr a'r Rheindir.

Dywedai Cytundeb Versailles fod rhaid i'r Almaen dalu 'iawndal' i'r Cynghreiriaid. Hynny yw, roedd rhaid iddi dalu i atgyweirio'r difrod a gafodd y Cynghreiriaid yn y Rhyfel Byd Cyntaf. Swm yr iawndal oedd 132,000 miliwn o farciau aur (£6,600 miliwn, sef tua £112,000 miliwn ym mhrisiau heddiw).

Talwyd rhan gyntaf y bil anferth hwn yn 1921. Ond yn 1922 dywedodd yr Almaenwyr na allent fforddio talu rhagor dros y tair blynedd nesaf. Doedd y Ffrancwyr ddim yn eu credu. Felly fe anfonodd y Ffrancwyr eu milwyr i mewn i ranbarth diwydiannol Ruhr i fynnu cael eu hiawndal drwy rym.

Dechreuodd y goresgyniad ar 9 Ionawr 1923. Aeth tua 60,000 o filwyr Ffrainc a Gwlad Belg i mewn i'r ardal. Meddiannwyd pob pwll glo a mwynglawdd, pob ffatri a phob gwaith dur a rheilffordd yn yr ardal, gan ddechrau eu rheoli. Cymerwyd bwyd a nwyddau o'r siopau. Gosodwyd drylliau peiriannol yn y strydoedd.

Beth oedd canlyniadau meddiannu rhanbarth diwydiannol Ruhr?

Ni allai llywodraeth yr Almaen arwain y wlad i ymladd yn erbyn y Ffrancwyr oherwydd fod lluoedd arfog yr Almaen wedi cael eu lleihau gymaint gan Gytundeb Versailles. Felly fe ddefnyddiodd yr Almaenwyr ddull y gwrthsafiad goddefol. Yn ôl un o swyddogion milwrol y Ffrancwyr:

Ffynhonnell 2
Un An d'Occupation: l'Oeuvre Franco-Belge dans la Ruhr en 1923 ('Blwyddyn o feddiannu...') Hwn oedd adroddiad swyddogol byddin Ffrainc, 1924.

Roedd gwrthsafiad goddefol yn golygu gwrthod cydweithredu mewn unrhyw ffordd gyda'r Ffrancwyr a'r Belgiaid. Golygai wrthod pob cais a gwrthod ufuddhau i unrhyw orchymyn... Byddai gweithwyr y post, y telegraff a'r ffôn yn gwrthod gwneud unrhyw beth i'r Ffrancwyr a'r Belgiaid, yn gwrthod anfon eu llythyrau na gwerthu stampiau iddynt, etc. Gwrthodai gweithwyr y rheilffyrdd redeg trenau i gludo milwyr. Roedd swyddogion Almaenig yn anwybyddu'r Ffrancwyr a'r Belgiaid.

Bu canlyniadau buan i'r gwrthsafiad goddefol, fel y dengys Ffynhonnell 3.

Ffynhonnell 3
Y Swyddfa Gartref, *Memorandum of the Commercial Secretary of the British Embassy in Berlin*, 1 Awst 1923.

Mae pob camlas a harbwr yn orlawn o gychod a llongau. Does dim modd eu symud. Mae gwasanaeth y post a'r telegraff yn wael dros ben ac mae hi'n amhosibl sgwrsio dros y ffôn. Does dim gwasanaeth trenau ar gael ac ni chaiff ceir eu defnyddio... Dydy'r gweithfeydd dur ddim yn derbyn tanwydd na mwyn haearn... Mae cyfanswm yr haearn bwrw a gynhyrchir yn rhanbarth Ruhr i lawr i un rhan o bump o'r hyn ydoedd cyn y meddiannu.

Ymateb y Ffrancwyr i'r gwrthsafid goddefol oedd gorfodi tua 150,000 o bobl i adael yr ardal lle bu anufudd-dod. Weithiau fe saethid pobl oedd yn gwrthod ufuddhau. Yn ystod yr wyth mis yr oedd Ffrainc wedi meddiannu rhanbarth diwydiannol Ruhr, fe saethwyd 132 o Almaenwyr. Bachgen saith mlwydd oed oedd un o'r rhai a laddwyd. Yn ôl byddin y Ffrancwyr, fe'i saethwyd yn ddamweiniol gan filwr Ffrengig oedd yn glanhau ei reiffl. Rhoddodd un o bapurau newydd yr Almaen fersiwn gwahanol o'r digwyddiad:

Ffynhonnell 4

Deutsche Allgemeine Zeitung ('Amserau'r Almaen i Gyd'), 13 Mehefin 1923.

> Roedd y plant yn chwarae mewn cae — man roedd y Ffrancwyr wedi'i wahardd. Pan wrthododd y plant â gadael y cae, aeth y milwr i safle saethu, llwytho'i reiffl o flaen eu llygaid, a saethu at fachgen saith mlwydd oed oedd yn sefyll gan chwerthin chwe metr oddi wrtho. Fe'i saethwyd drwy'r arleisiau. Yna fe luchiodd y milwr dewr ei hun ar y corff er mwyn gwneud yn siŵr fod ei elyn wedi marw neu, yn ôl tyst arall, er mwyn bwyta ymennydd y bachgen.

Ffynhonnell 5

Clawr cylchgrawn Ffrengig yn dangos milwyr (ar y dde) yn rhanbarth Ruhr yn Ionawr 1923. Dywed y capsiwn '... O flaen pob adeilad cyhoeddus a ffatri, mae helmedau glas ein milwyr yn atgoffa'r Almaenwyr anghofus o hawliau cyfiawn Ffrainc...'

Cwestiynau

1 Darllenwch Ffynhonnell 2.
  a Rhowch o leiaf dair enghraifft o 'wrthsafiad goddefol' pobl yr Almaen.
  b Beth oeddent yn gobeithio'i gyflawni drwy'r dulliau hyn?

2 Yn ôl Ffynhonnell 3, pa mor llwyddiannus oedd y 'gwrthsafiad goddefol'? Esboniwch eich ateb.

3 Darllenwch Ffynhonnell 4 yn ofalus.
  a Yn eich geiriau eich hun, rhowch grynodeb byr o'r stori.
  b Nid oedd yn wir fod y milwyr Ffrengig yn bwyta ymennydd eu gelynion. Pam y dywedwyd hynny yn y papur newydd?
  c Pe baech chi'n newyddiadurwr yn ysgrifennu am y digwyddiad hwn ar gyfer papur newydd yn Ffrainc, pa ran o'r digwyddiad fyddai'n cael ei ddisgrifio mewn modd gwahanol yn eich adroddiad? Dywedwch sut y byddech yn disgrifio'r digwyddiad.

4 Dychmygwch fod y llun yn Ffynhonnell 5 yn cael ei ddefnyddio mewn cylchgrawn Almaenig yn hytrach na chylchgrawn Ffrengig. Awgrymwch sut y byddai'r capsiwn ar gyfer y llun yn wahanol.

Gorchwyddiant

Oherwydd i ranbarth diwydiannol Ruhr gael ei feddiannu, cafwyd problemau difrifol yn yr Almaen. Gan fod y llywodraeth wedi dweud wrth weithwyr rhanbarth Ruhr am beidio â gweithio i'r Ffrancwyr, bu'n rhaid iddi dalu cyflogau iddynt yn lle'r cyflogau a gollwyd. Cyn bo hir, roedd y llywodraeth yn talu triliynau o farciau bob wythnos. Hefyd, gan nad oedd y pyllau glo yn rhanbarth Ruhr yn cynhyrchu glo, roedd rhaid i'r llywodraeth brynu llawer o lo o wledydd tramor.

Yr unig ffordd y gallai'r llywodraeth gael gafael ar gymaint o arian oedd drwy argraffu mwy a mwy o arian papur. Ond fe arweiniodd hynny at chwyddiant, sy'n golygu bod gwerth arian wedi gostwng wrth i brisiau godi. Po fwyaf o arian roedd y llywodraeth yn ei argraffu, mwyaf y codai prisiau. Fe gododd prisiau'n gyflym ac roedd 1923 yn flwyddyn o orchwyddiant (hyperinflation).

Beth oedd effaith gorchwyddiant ar yr Almaen?

Cafodd gorchwyddiant effaith ar y mwyafrif o bobl yr Almaen. Effaith gorchwyddiant oedd peri bod nwyddau angenrheidiol yn costio mwy (gw. Ffynhonnell 1).

Ffynhonnell 1

William Guttmann a Patricia Meehan, *The Great Inflation: Germany 1919-23*, 1975.

	Prisiau mewn marciau		
Eitem	**1913**	**Haf 1923**	**Tachwedd 1923**
torth o fara 1 kg	0.29	1,200	428,000,000,000
1 ŵy	0.08	5,000	80,000,000,000
1 kg o fenyn	2.70	26,000	6,000,000,000,000
1 kg o gig eidion	1.75	18,800	5,600,000,000,000
1 pâr o esgidiau	12.00	1,000,000	32,000,000,000,000

Oherwydd y codiadau mawr mewn prisiau, bu'n rhaid i filiynau o bobl ddioddef caledi. Y rhai a ddioddefodd fwyaf oedd y rhai oedd yn byw ar incwm sefydlog megis pensiwn. Yn wahanol i weithiwr, a allai ofyn i'w gyflogwr am godiad cyflog, nid oedd yn bosibl i bensiynwr gael mwy o arian. Mae Ffynhonnell 2 yn dangos mor ddifrifol oedd y broblem hon.

Ffynhonnell 2

Dorothy Haenkel, Almaenes oedd yn byw yn Frankfurt yn 1923, mewn cyfweliad â William Guttmann a Patricia Meehan, yn *The Great Inflation: Germany 1919-23*, 1975.

Roedd cyfaill imi yn gweithio mewn swyddfa oedd yn gyfrifol am ddosbarthu pensiynau...yn yr ardal o gwmpas Frankfurt... Un o'r achosion y bu'n rhaid iddi ddelio ag ef oedd hwn: Roedd plismon wedi marw'n ifanc gan adael gweddw a phedwar o blant. Penderfynwyd ei bod i gael tri mis o gyflog ei gŵr (fel pensiwn). Yn ofalus iawn fe gyfrifodd fy nghyfaill y swm o arian...ac anfon y papurau ymlaen i Wiesbaden. Yno fe wiriwyd y ffigurau, eu stampio a'u dychwelyd i Frankfurt. Ar ôl i hyn i gyd gael ei gyflawni, ac ar ôl i'r arian gael ei dalu i'r weddw, dim ond digon o arian i brynu tri blwch o fatsys oedd ganddi.

Fel y dengys Ffynhonnell 2, oherwydd fod gorchwyddiant yn digwydd mor gyflym, gallai arian golli ei werth mewn diwrnod. Ar uchafbwynt y gorchwyddiant yn 1923, derbyniai gweithwyr eu cyflogau'n ddyddiol yn hytrach nag yn wythnosol. Hyd yn oed wedyn roedd yna broblemau, fel y dengys Ffynhonnell 3.

Ffynhonnell 3

Willy Derkow, myfyriwr yn yr Almaen yn 1923, mewn cyfweliad â William Guttmann a Patricia Meehan, yn *The Great Inflation: Germany 1919-23*, 1975.

Am un ar ddeg o'r gloch y bore, fe seiniodd y seiren. Daeth pawb ynghyd yn iard y ffatri lle safai lorri bum tunnell yn llawn o arian papur. Dringodd y prif ariannwr a'i gynorthwywyr i gefn y lorri. Yna fe ddarllenon nhw enwau a thaflu bwndeli o arian papur. Ar ôl i chi ddal un o'r bwndeli, roeddech chi'n rhedeg i'r siop agosaf a phrynu unrhyw beth oedd ar gael...

Yn aml iawn roeddech chi'n prynu pethau nad oedd arnoch eu hangen. Ond gyda'r pethau hynny gallech ddechrau cyfnewid. Cyfnewid pâr o esgidiau am grys, neu bâr o sanau am sach o datws; cytleri neu lestri, er enghraifft, yn lle te neu goffi neu fenyn. Ac roedd y broses hon yn parhau nes i chi gael yr hyn roedd arnoch ei eisiau.

Erbyn Tachwedd 1923, roedd marc yr Almaen yn ddiwerth, fel yr awgryma Ffynhonnell 4.

Ffynhonnell 4

Tynnwyd llun yr Almaenes hon yn 1923. Mae hi'n defnyddio arian papur yn lle glo i gynhesu'r stof yn ei chegin.

Cwestiynau

1 Edrychwch yn ofalus ar Ffynonellau 1-4. Gwnewch restr o'r ffyrdd roedd gorchwyddiant yn effeithio ar bobl yr Almaen.

2 Astudiwch y rhestr hon o bum math o bobl oedd yn byw yn yr Almaen yn 1923:

- cyn-filwr, a anafwyd yn y Rhyfel Byd Cyntaf, yn byw nawr ar bensiwn y fyddin
- hen wraig, yn byw ar ei chynilion a gedwir ganddi o dan ei matres
- teulu o ffermwyr, yn byw yn bennaf ar fwyd y maen nhw'n ei dyfu
- gweithiwr ffatri, yn byw ar gyflogau a delir yn ddyddiol
- gwraig weddw gyda thri o blant, yn byw ar bensiwn gwraig weddw.

a Fe ddioddefodd tri o'r bobl hyn yn ddifrifol oherwydd gorchwyddiant. Pwy oedden nhw? Esboniwch pam y dioddefasant.

b Ni fu'n rhaid i ddau o'r bobl hyn ddioddef cymaint â'r lleill. Pwy oedden nhw? Esboniwch pam na fu'n rhaid iddynt ddioddef cymaint â'r lleill.

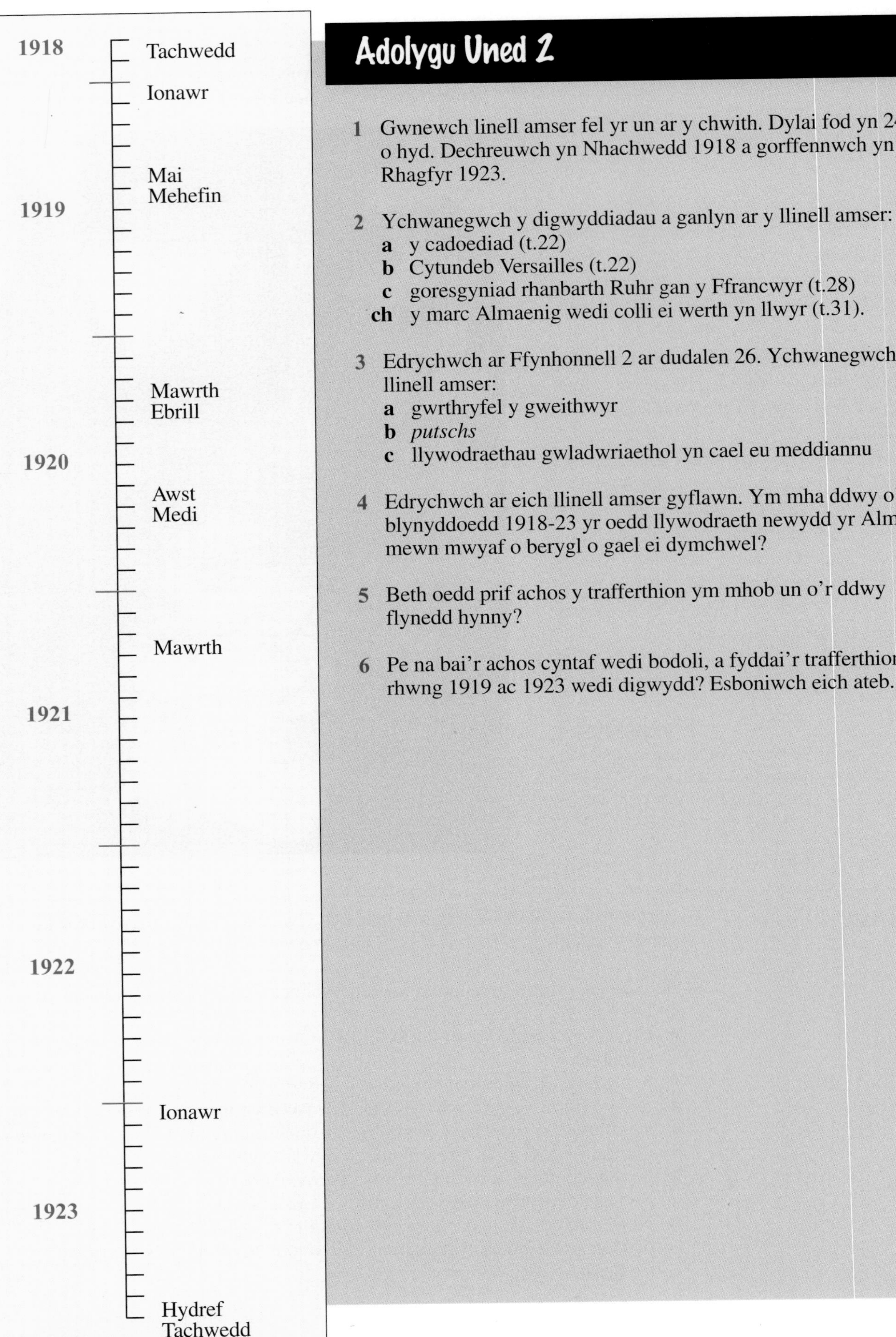

Adolygu Uned 2

1 Gwnewch linell amser fel yr un ar y chwith. Dylai fod yn 247mm o hyd. Dechreuwch yn Nhachwedd 1918 a gorffennwch yn Rhagfyr 1923.

2 Ychwanegwch y digwyddiadau a ganlyn ar y llinell amser:
- **a** y cadoediad (t.22)
- **b** Cytundeb Versailles (t.22)
- **c** goresgyniad rhanbarth Ruhr gan y Ffrancwyr (t.28)
- **ch** y marc Almaenig wedi colli ei werth yn llwyr (t.31).

3 Edrychwch ar Ffynhonnell 2 ar dudalen 26. Ychwanegwch ar y llinell amser:
- **a** gwrthryfel y gweithwyr
- **b** *putschs*
- **c** llywodraethau gwladwriaethol yn cael eu meddiannu

4 Edrychwch ar eich llinell amser gyflawn. Ym mha ddwy o'r blynyddoedd 1918-23 yr oedd llywodraeth newydd yr Almaen mewn mwyaf o berygl o gael ei dymchwel?

5 Beth oedd prif achos y trafferthion ym mhob un o'r ddwy flynedd hynny?

6 Pe na bai'r achos cyntaf wedi bodoli, a fyddai'r trafferthion rhwng 1919 ac 1923 wedi digwydd? Esboniwch eich ateb.

Uned 3. Gelynion democratiaeth: Hitler a'r Natsïaid

Roedd nifer o grwpiau a oedd yn casáu'r Weriniaeth Weimar. Un o'r grwpiau hynny oedd Plaid Genedlaethol Sosialaidd Gweithwyr yr Almaen — sef y Blaid Natsïaidd. Yn 1919 sefydlwyd y blaid honno gyda 50 o aelodau. Cyn bo hir, o blith holl bleidiau'r Almaen, hi oedd y blaid oedd yn tyfu gyflymaf. Yn 1923 fe geisiodd ei harweinydd, Adolf Hitler, ddymchwel y llywodraeth. Methiant fu ei gais, a chafodd ei garcharu. Ond ni laddwyd y blaid. Yn ei gell, cynllwyniodd Hitler a lluniodd dactegau newydd i ddymchwel y Weriniaeth Weimar. Ymhen llai na deng mlynedd, byddai'r tactegau hynny yn llwyddo i ddistrywio'r Weriniaeth.

Yn yr uned hon, edrychir yn fanwl ar y Natsïaid. Gofynnir tri chwestiwn: sut un oedd eu harweinydd, Adolf Hitler; sut bobl oedd yn ymuno â'r Natsïaid; a pham roeddent am ddinistrio'r Weriniaeth Weimar?

Cyrchfilwyr Natsïaidd yn cymryd rhan mewn protest ym München ar 1 Mai 1923.

Sut un oedd Hitler?

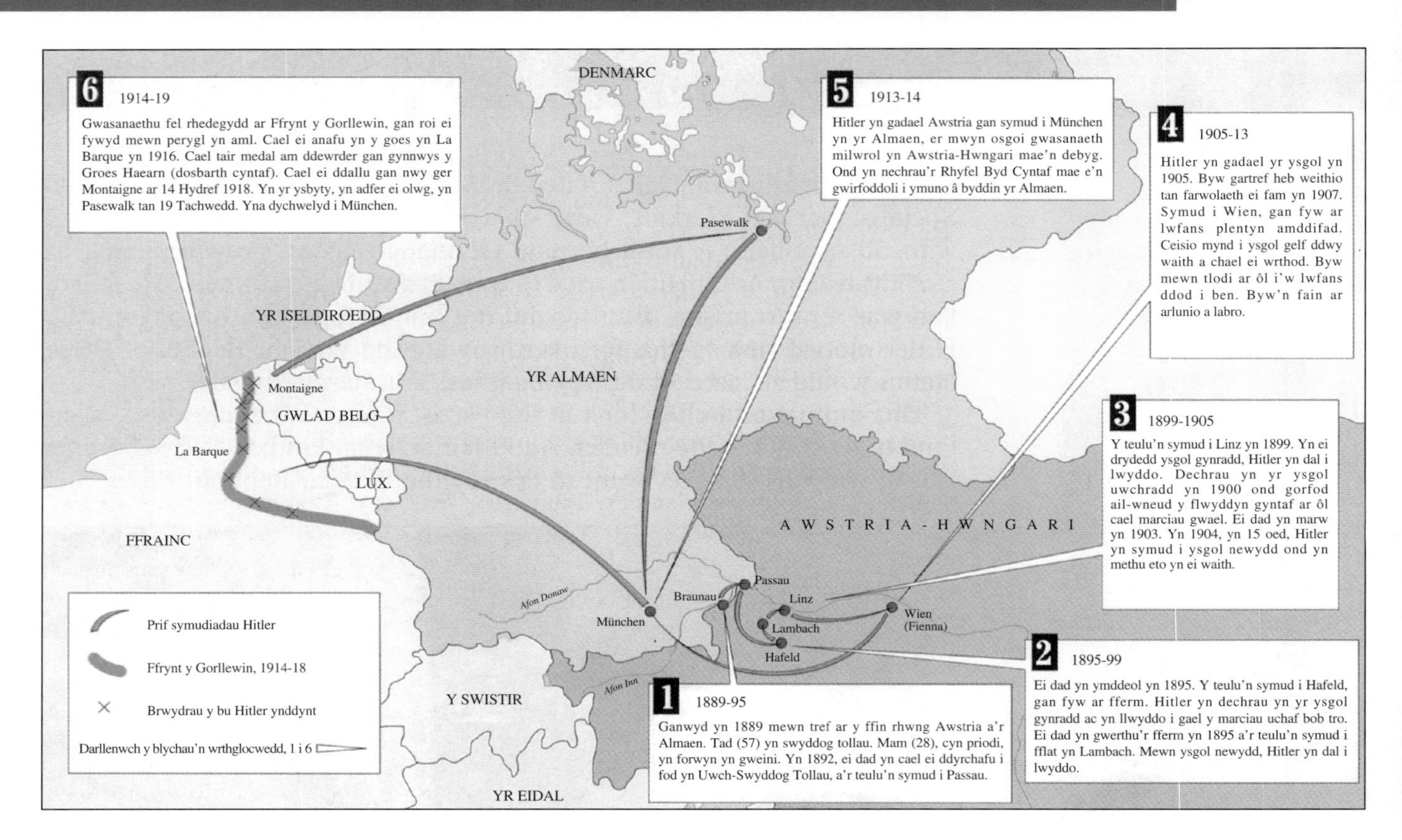

Ffynhonnell 1
30 mlynedd gyntaf Hitler, 1889-1919.

Fe welwch o Ffynhonnell 1 nad Almaenwr oedd Hitler. Fe'i ganed yn Awstria-Hwngari, a bu'n byw yno nes ei fod yn 24. Dyna pryd yr aeth i'r Almaen. Sut un oedd e? Penderfynwch ar ôl astudio Ffynonellau 1-5.

Ffynhonnell 2
Adroddiad ysgol terfynol Hitler, Medi 1905. Gwelir yn Konrad Heiden, *Der Fuehrer: Hitler's Rise to Power,* 1944

	Sesiwn cyntaf	Ail sesiwn
Ymddygiad moesol	boddhaol	boddhaol
Diwydrwydd	anghyfartal	annigonol
Crefydd	digonol	boddhaol
Iaith Almaeneg	annigonol	digonol
Daearyddiaeth a hanes	digonol	boddhaol
Mathemateg	annigonol	boddhaol
Cemeg	digonol	digonol
Ffiseg	boddhaol	digonol
Geometreg ac arlunio technegol	digonol	annigonol† digonol#
Lluniadu llawrydd	canmoladwy	rhagorol
Gymnasteg	rhagorol	rhagorol
Stenograffi*	annigonol	–
Canu	–	digonol
Gwaith ysgrifenedig	anfoddhaol	anfoddhaol

† Ail-safwyd yr arholiad # Ar ôl ail-sefyll yr arholiad

* **stenograffi** Ysgrifennu llaw-fer

Ffynhonnell 3

Un o athrawon Hitler yn cofio yn 1923 sut ddisgybl ydoedd. Dyfynnir yn August Kubizek, cyfaill agosaf Hitler yn yr ysgol, yn *The Young Hitler I Knew*, 1954.

Roedd Hitler yn ddawnus mewn rhai pynciau. Ond nid oedd ganddo ddigon o reolaeth drosto'i hun, a hoffai ddadlau. Roedd e hefyd yn awtocratig, yn hunandybus a chanddo dymer ddrwg. Ni allai blygu i reolau'r ysgol. Nid oedd yn weithgar, neu byddai wedi ennill canlyniadau gwell, gan ei fod yn ddawnus.

Ffynhonnell 4

O lythyr a ysgrifennwyd gan Hitler i edmygydd a oedd wedi gofyn am wybodaeth amdano. Dyfynnir yn Werner Masur, *Hitler's Letters and Notes*, 1973.

Fe'm ganed ar 20 Ebrill 1889, yn Braunau am Inn, yn fab swyddog post lleol, Alois Hitler. Roedd fy addysg gyfan yn cynnwys pum mlynedd yn yr Ysgol Gynradd a phedair blynedd yn yr Ysgol Ganol...Yn 17 oed cefais fy ngadael yn amddifad ac...fe'm gorfodwyd i ennill fy mywoliaeth fel gweithiwr cyffredin. Gweithiais fel labrwr ar safle adeiladu ac yn ystod y ddwy flynedd ganlynol gwneuthum bob math o waith dros dro... O fewn blwyddyn, fe'm trowyd gan ysgol bywyd go-iawn yn wrth-Semitydd*.

Gydag ymdrech aruthrol llwyddais i'm haddysgu fu hun i arlunio yn fy amser rhydd, a hynny mor dda fel fy mod, ar ôl cyrraedd 20 oed, yn gallu...ennill digon i fyw... Datblygais i fod yn ddyluniwr pensaernïol ac arlunydd ac erbyn imi gyrraedd 21 oed roeddwn bron â bod yn gwbl annibynnol.

* **gwrth-Semitydd** Un sy'n casáu Iddewon.

Ffynhonnell 5

Llythyr a ygrifennwyd gan brif swyddog Hitler yn 1918. Dyfynnir yn G. Ward Price, *I Know These Dictators*, 1937.

Is-Gorpral (Gwirfoddol) Hitler, Trydydd Cwmni

Bu Hitler gyda'r gatrawd ers dechrau'r rhyfel, a rhoddodd gyfrif ardderchog ohono'i hun ym mhob brwydr y bu ynddi.

Fel rhedegydd* ei gwmni dangosodd, ar faes y gad ac yn y ffosydd, agwedd ddigyffro a dewr. Roedd e bob amser yn fodlon cludo negeseuon yn y safleoedd anoddaf er mawr berygl i'w fywyd ei hun...

Derbyniodd Hitler y Groes Haearn (ail ddosbarth) am ymddygiad dewr ym Mrwydr Wytschaete ar 2 Rhagfyr 1914. Ystyriaf ei fod yn llawn deilyngu'r Groes Haearn (dosbarth cyntaf).

* **rhedegydd** negesydd sy'n cludo negeseuon oddi wrth un comander i'r llall yn ystod brwydr.

Cwestiynau

1 Mewn grwpiau, astudiwch Ffynonellau 1-5 a nodwch wybodaeth am
   - **a** Hitler a'i gefndir teuluol
   - **b** ei fywyd a'i lwyddiannau yn ei ddyddiau ysgol
   - **c** ei fywyd ar ôl gadael yr ysgol cyn iddo ymuno â'r fyddin
   - **ch** ei fywyd fel milwr yn y Rhyfel Byd Cyntaf.

2 Gan ddefnyddio Ffynonellau 2-5 yn unig, dewiswch chwe gair addas o'r rhestr isod i ddisgrifio cymeriad Hitler: cymdeithasol, dewr, llwfr, diog, gweithgar, artistig, annibynnol, clyfar, goddefgar, gweithredol, anoddefgar. Gyda phob gair a ddewiswch, esboniwch pam ei fod, yn eich barn chi, yn ddisgrifiad cywir o gymeriad Hitler.

Dechreuadau a thwf y Blaid Natsïaidd

Ar ddiwedd y rhyfel fe arhosodd Hitler yn y fyddin. Yn gynnar yn 1919 fe'i hanfonwyd i München, prifddinas Bafaria, i gadw llygad ar grwpiau gwleidyddol eithafol i weld a oeddent yn fygythiad i'r llywodraeth ai peidio.

Un o'r grwpiau y bu Hitler yn ei wylio oedd Plaid Gweithwyr yr Almaen. Plaid fach ac aneffeithiol ei threfniadaeth oedd hi yn ei farn ef, eto roedd e'n hoffi ei syniadau a phenderfynodd ymaelodi. Yn fuan ef oedd un o arweinwyr y blaid. Trefnai gyfarfodydd, anfonai hysbysebion i bapurau newydd, gosodai bosteri ar waliau. Yn Chwefror 1920 dewisodd enw newydd i'r blaid — Plaid Genedlaethol Sosialaidd Gweithwyr yr Almaen, a chyhoeddodd raglen 25 pwynt yn disgrifio ei hamcanion. Dewiswyd symbol y swastica (gw. Ffynhonnell 1) yn arwyddlun ar gyfer y blaid newydd.

Y Blaid Natsïaidd* oedd llysenw'r blaid newydd. Fe dyfodd yn gyflym. Cynyddodd nifer yr aelodau o tua 50 yn Ionawr 1919 i 3,000 yn 1920, i 6,000 yn 1921, ac i 50,000 yn 1923. Cyhoeddai'r Blaid Natsïaidd ei phapur newydd ei hun i ledaenu ei syniadau. Ac roedd ganddi fyddin arfog o Gyrchfilwyr (*Sturmabteilung* neu SA) i ymladd yn erbyn ei gwrthwynebwyr.

* **Natsïaidd** Talfyriad o enw Almaenig y blaid — '**Na**tionalso**zi**alistische Deutsche Arbeiterpartei'.

Ffynhonnell 1
Cyfarfod cyhoeddus, a drefnwyd gan y Blaid Natsïaidd, mewn neuadd gwrw ym München yn 1923. Ar y waliau gwelir arwyddlun y blaid, y swastica.

Pwy a ymunodd â'r Blaid Natsïaidd, a pham?

Beth oedd apêl y Blaid Natsïaidd? Pam y tyfodd hi mor gyflym?

Un o'r rhesymau am ei llwyddiant oedd gallu Hitler i gyfleu syniadau'r blaid mewn cyfarfodydd cyhoeddus. Yn aml, fe gynhelid y cyfarfodydd mewn neuaddau cwrw lle gallai cynulleidfaoedd mawrion wrando'n gyfforddus ar yr areithiau (gw. Ffynhonnell 1).

Felly beth oedd syniadau'r Blaid Natsïaidd? Beth oedd amcanion Hitler? Cafwyd crynodeb ohonynt mewn papur newydd pro-Natsïaidd yn 1922:

Ffynhonnell 2

Kreuzzeitung, 28 Rhagfyr 1922.

Mae Hitler mewn cysylltiad agos ag Almaenwyr Tsiecoslofacia ac Awstria, ac mae e'n mynnu bod yr Almaenwyr i gyd yn ymuno yn yr Almaen fawr...

Mae Hitler yn mynnu bod Cytundebau Versailles a St Germain* yn cael eu dileu. A rhaid adfer y trefedigaethau Almaenig.

Rhan bwysig iawn o Raglen y Blaid yw'r syniad am hil... Dim ond pobl o hil Almaenig gaiff fod yn ddinasyddion Almaenig, meddai Hitler... Dylai pawb a ymfudodd i'r Almaen er 1914 gael eu gyrru allan.

Mae Hitler yn gwrthwynebu'r drefn seneddol. Yn gyntaf oll, mae plaid Hitler eisiau sefydlu unbennaeth a fydd yn para hyd nes bydd trafferthion presennol yr Almaen wedi dod i ben... Yr unben, yn amlwg, yw Hitler.

Dyma drefn economaidd y blaid: ...gweithwyr i rannau elw'r cwmnïau mawrion, perchnogaeth gyhoeddus ar siopau mawrion, cymorth i ddiwydiannau bychain ac i'r dosbarth canol.

* **St Germain** Ail Gytundeb Heddwch Paris, 1919, yn delio ag Awstria-Hwngari (un o gynghreiriaid yr Almaen).

Pwy a gâi eu denu gan syniadau o'r fath? Cawn rai atebion yng nghofnodion aelodaeth y blaid. Roedd y rheiny yn rhestru aelodau yn ôl eu dosbarth cymdeithasol ac yn ôl eu gwaith. Mae Ffynhonnell 3 yn crynhoi'r cofnodion.

Ffynhonnell 3

Michael H. Kater, *The Nazi Party: A Social Profile of Members and Leaders, 1919-1945*, 1983.

Dosbarth	Gwaith	% y cyfan
Dosbarth is	Gweithwyr di-grefft (e.e. gweithwyr fferm, labrwyr, glowyr, gweision)	11.9
	Gweithwyr crefftus (e.e. pobyddion cyflogedig, plymwyr, trydanwyr)	14.3
	Gweithwyr crefftus eraill	9.7
Dosbarth canol	Meistri ar eu crefft (e.e. gofaint hunangyflogedig, gwneuthurwyr watsys)	8.3
	Cyflogedigion is (e.e. gwerthwyr mewn siopau, clercod, fformyn)	11.8
	Gweision sifil is (e.e. gweithwyr post, swyddogion y tollau)	6.6
	Marchnatwyr (e.e. gwerthwyr moduron, tafarnwyr)	14.4
	Ffermwyr (e.e. perchnogion fferm, gwneuthurwyr gwin, pysgotwyr)	11.0
Y dosbarth canol uwch a'r bonedd	Rheolwyr (e.e. gweithredwyr cwmnïau)	1.9
	Gweision sifil uwch (e.e. swyddogion trethi)	0.4
	Pobl broffesiynol gyda chymwysterau academaidd (e.e. meddygon, cyfreithwyr)	2.5
	Myfyrwyr (e.e. disgyblion hŷn yn yr ysgolion a myfyrwyr prifysgol)	4.4
	Entrepreneuriaid (e.e. perchnogion ffatrïoedd, cyfarwyddwyr cwmnïau)	2.7

Cwestiynau

1 Astudiwch Ffynhonnell 2 sy'n enwi naw o syniadau Hitler a'r Blaid Natsïaidd. Gwnewch restr ohonynt, a'u rhifo o 1 i 9.

2 Rhannwch dudalen yn bum golofn. Rhowch y penawdau a ganlyn i bob colofn:
- cenedlaetholwr oedd am weld yr Almaen yn tyfu'n bwerus
- sosialydd oedd am weld cyfoeth y wlad yn cael ei rannu gan bawb
- cyn-filwr oedd yn casáu cytundebau heddwch Paris
- cenedlaetholwr oedd yn casáu gweld pobl nad oeddent yn Almaenwyr yn byw yn yr Almaen
- dyn busnes a gafodd golledion difrifol yn ei fusnes o ganlyniad i chwyddiant.

3 O dan bob pennawd, rhowch rifau unrhyw syniadau a fyddai'n denu rhywun o'r fath.

4 Beth mae eich tabl gorffenedig yn ei ddweud wrthych am y math o bobl a gefnogai'r Blaid Natsïaidd yn nechrau'r 1920au? Esboniwch eich ateb.

Putsch Neuadd Gwrw ym München

Ffynhonnell 1
Cyrchfilwyr Natsïaidd yn cyrraedd München yn Nhachwedd 1923 i gymryd rhan yn y '*Putsch* Neuadd Gwrw'.

Fe dyfodd y Blaid Natsïaidd yn gyflym dan arweinyddiaeth Hitler. Erbyn 1923 roedd ganddi 55,000 o aelodau a Hitler oedd un o wleidyddion enwocaf Bafaria. Yn Nhachwedd fe benderfynodd fod y Natsïaid yn ddigon cryf i roi cynnig ar *putsch* ym München, prifddinas Bafaria.

Methiant fu'r *putsch*. Saethwyd 16 o Natsïaid yn farw. Cafodd Hitler ei restio a'i garcharu. Cafodd y blaid ei gwahardd. Bellach gallwn weld fod Hitler wedi gwneud camgymeriad difrifol. Pam y tybiodd y gallai *putsch* lwyddo?

Pam y ceisiodd Hitler ennill grym gyda'r *putsch* yn 1923?

Fel y gwelsoch, roedd yr Almaen mewn argyfwng yn 1923 oherwydd fod y Ffrancwyr wedi meddiannu rhanbarth Ruhr. Defnyddiodd pobl rhanbarth Ruhr wrthsafiad goddefol yn erbyn y Ffrancwyr, ac fe arweiniodd hynny at ddiweithdra ar raddfa fawr a gorchwyddiant.

A distryw o'u blaen, penderfynodd y llywodraeth ym Medi fod rhaid i'r gwrthsafiad goddefol ddod i ben. Ond penderfyniad amhoblogaidd ydoedd. Roedd llawer o Almaenwyr yn awyddus i barhau â'r ymgyrch. Yn Bafaria, daeth 'minteioedd gwlatgar' ynghyd i ffurfio 'Undeb Ymladdwyr Almaenig'. Dan arweinyddiaeth Hitler, nod yr undeb oedd dymchwel y llywodraeth yn Berlin. Mae'r adroddiad yma gan yr heddlu yn disgrifio siom llawer o bobl Bafaria:

Ffynhonnell 2
Adroddiad heddlu Bafaria, a ysgrifennwyd ym Medi 1923.

> O ganlyniad i brisiau'n codi a diweithdra'n cynyddu, mae'r gweithwyr yn teimlo'n chwerw. Mae'r minteioedd gwlatgar yn ddig iawn oherwydd fod gwrthsafiad rhanbarth Ruhr wedi cael ei ddileu...

Dair wythnos yn ddiweddarach, dywedodd adroddiad gan gyngor dinas München:

Ffynhonnell 3
Dyfynnir yn Harold J. Gordon, *Hitler and the Beer Hall Putsch*, 1972.

> Ym München i gyd (gan gynnwys y farchnad fwyd) nid oes unrhyw datws wedi bod ar gael ers dyddiau. Gan mai tatws yw'r bwyd rhataf, mae hynny'n beth trychinebus ar hyn o bryd.

Yn yr argyfwng, bwriadai Hitler gipio grym drwy orymdeithio i Berlin gyda 15,000 o ddynion. Ond cafodd ei wrthwynebu gan arweinydd Bafaria, Ritter von Kahr. Roedd gan Kahr gynllun arall — torri'n rhydd oddi wrth yr Almaen a gwneud Bafaria yn wlad annibynnol. Ceisiodd berswadio Hitler i ymuno ag ef yn hytrach na gorymdeithio i Berlin. Ond ni allai Hitler fentro newid ei gynlluniau. Dyma esboniad arweinydd cyrchfilwyr München yn ddiweddarach:

Ffynhonnell 4

Wilhelm Brückner, arweinydd yr SA ym München, yn siarad fel tyst ym mhrawf Hitler yn 1924, ar ôl methiant y *putsch*.

Roedd y swyddogion yn anfodlon oherwydd fod yr orymdaith i Berlin yn cael ei gohirio. Roedden nhw'n dweud, 'Twyllwr yw Hitler fel y gweddill ohonyn nhw. Dwyt ti ddim yn ymosod...' Ac fe ddywedais innau wrth Hitler, 'Mae'r dydd yn agosáu pan na fyddaf yn gallu dal y dynion yn ôl. Os na fydd rhywbeth yn digwydd nawr, bydd y dynion yn sleifio ymaith.' Roedd llawer o ddynion di-waith yn ein plith, dynion oedd wedi aberthu eu pâr o esgidiau diwethaf, eu dillad diwethaf, eu deng marc diwethaf ar hyfforddi, gan ddweud, 'Yn fuan bydd pethau'n symud a byddwn...allan o'r llanastr yma'.

Penderfynodd Hitler beidio ag ymuno â Kahr, ond roedd arno angen cefnogaeth Kahr o hyd. Daeth cyfle Hitler ar 8 Tachwedd. Ar y diwrnod hwnnw, cynhaliodd Kahr gyfarfod cyhoeddus mewn neuadd gwrw fawr ym München. Amgylchynwyd y neuadd gan chwe chant o gyrchfilwyr. Yna fe ruthrodd Hitler i mewn a datgan bod 'chwyldro cenedlaethol' wedi cychwyn. Daliodd ddryll wrth ben Kahr a'i orfodi i ddweud wrth y gynulleidfa ei fod am gefnogi'r chwyldro. Yna daeth y Cadfridog Ludendorff i mewn i'r neuadd. Arwr rhyfel enwog oedd ef, ac roedd yn rhan o'r cynllwyn. Dywedodd ei fod yntau'n cefnogi Hitler.

Oherwydd datganiadau Kahr a Ludendorff eu bod yn cefnogi'r chwyldro, cafodd y gynulleidfa ei hargyhoeddi bod Hitler o ddifrif. Yna rhoddodd Hitler ddatganiad:

Ffynhonnell 5

Dyfynnir yn John Dornberg, *The Putsch that Failed*, 1982.

Rwy'n datgan bod llywodraeth Troseddwyr Tachwedd yn Berlin wedi'i dymchwel... Caiff llywodraeth genedlaethol newydd ei henwi heddiw, yma yn Bafaria, ym München. Caiff byddin genedlaethol Almaenig ei sefydlu ar unwaith. Rwy'n cynnig fy mod i yn cymryd arweinyddiaeth wleidyddol y llywodraeth hyd nes byddwn wedi dial ar y troseddwyr sy'n arwain yr Almaen i ddinistr.

Drannoeth, fodd bynnag, fe dorrodd Kahr ei addewid i gefnogi Hitler. Er hynny, aeth Hitler ymlaen â'i gynlluniau i orymdeithio drwy'r ddinas gyda 2,000 o Gyrchfilwyr. Drwy wneud hynny, gobeithiai y byddai'n ennill cefnogaeth y cyhoedd. Ond wrth iddynt agosáu at y ddinas ar fore 9 Tachwedd, fe'u hataliwyd gan heddlu arfog, a dechreuodd y ddwy fintai saethu at ei gilydd. Saethwyd 16 o Natsïaid yn farw, ac fe anafwyd cannoedd, gan gynnwys Hitler.

Roedd y *putsch* wedi methu. Cafodd Hitler a Ludendorff eu restio yn hwyrach y diwrnod hwnnw, eu carcharu, a'u cyhuddo o deyrnfradwriaeth.

Cwestiynau

1 Darllenwch Ffynonellau 2 a 3. Nodwch o leiaf bedwar rheswm pam roedd pobl Bafaria'n debygol o gefnogi Hitler yn ei ymdrech i ddymchwel y llywodraeth.

2 Darllenwch Ffynhonnell 4. Beth allai fod wedi digwydd i Hitler pe na bai wedi ceisio dymchwel y llywodraeth?

3 **a** Yn Ffynhonnell 5, beth oedd Hitler yn ei olygu â'r geiriau 'Troseddwyr Tachwedd'?

b Beth mae hyn yn ei ddweud wrthych ynglŷn â pham roedd Hitler eisiau dymchwel y llywodraeth?

Prawf, carchar a rhyddid

Ffynhonnell 1
Hitler yn y carchar gyda chyd-Natsïaid.

Wedi'r *Putsch* Neuadd Gwrw, cafodd y Blaid Natsïaidd ei diarddel a chafodd ei harweinwyr eu restio. Rhoddwyd Hitler ar brawf.

Gallai hynny fod wedi arwain at ddiwedd gyrfa Hitler. Ond cafodd y prawf gyhoeddusrwydd anferth. Am y 24 diwrnod y parhaodd y prawf, bu'n newyddion ar dudalennau blaen pob papur cenedlaethol. Felly, gallai miliynau o bobl ddarllen popeth a ddywedai Hitler yn ei amddiffyniad. O ganlyniad, ymledodd enwogrwydd Hitler i rannau o'r Almaen lle nad oedd yn enwog o'r blaen. Roedd y gefnogaeth i'r Natsïaid yn parhau i dyfu.

Dyfarnwyd Hitler yn euog o deyrnfradwriaeth a'i ddedfrydu i bum mlynedd o 'gaer-garchariad'. Cosb arbennig ar gyfer carcharorion gwleidyddol oedd hon. Gydag ymddygiad da, byddai'n gymwys i gael ei ryddhau ymhen chwe mis.

A wnaeth y carchar newid Hitler?

Dechreuodd Hitler ei dymor yn y carchar ar 1 Ebrill 1924 yng nghaer Landsberg, heb fod nepell o München. Dengys Ffynhonnell 1 nad oedd yr amodau yn y gaer yn rhai caled. Roedd ganddo ystafell wedi'i dodrefnu yn hytrach na chell. Gwisgai ei ddillad ei hun. Câi dderbyn ymwelwyr a llythyrau bob diwrnod.

Treuliodd Hitler lawer o'i amser yn y carchar yn ysgrifennu llyfr. Ei deitl oedd *Mein Kampf* ('Fy Ymdrech'). Ynddo fe gyflwynodd hanes ei fywyd a'i syniadau. Roedd y syniadau'n delio â hanes, gwleidyddiaeth, hil, a dyfodol yr Almaen. Fe dreuliodd amser hefyd yn meddwl am ddyfodol y Blaid Natsïaidd a sut i ennill grym. Eglurodd ei feddyliau i ymwelydd o'r enw Kurt Ludecke:

Ffynhonnell 2
Kurt Ludecke, *I Knew Hitler*, 1938.

'O hyn ymlaen,' meddai (Hitler), 'rhaid inni weithredu mewn ffordd wahanol... Pan fyddaf yn ailddechrau gweithio bydd rhaid dilyn polisi newydd. Yn lle ymdrechu i ennill grym gyda *coup* arfog*, bydd rhaid inni ddal ein trwynau a mynd i mewn i'r Reichstag*.'

* ***coup* arfog** Gwrthryfel arfog yn erbyn llywodraeth. Mae'n golygu yr un peth â *putsch*.
* **mynd i mewn i'r Reichstag** Dod yn aelodau seneddol drwy ymgyrchu mewn etholiad.

Er mwyn 'ailddechrau gweithio', roedd rhaid wrth gwrs i Hitler fod yn rhydd. Ymgeisiodd am ryddhad buan ym Medi 1924. Ysgrifennodd llywodraethwr y gaer yr adroddiad a ganlyn:

Ffynhonnell 3
Otto Lurker, *Hitler hinter Festungsmauern* ('Hitler y Tu ôl i Farrau Carchar'), 1933.

Dangosodd Hitler ei fod yn garcharor trefnus a disgybledig... Nid yw'n gofyn am ddim byd anarferol, mae e'n ddigyffro a synhwyrol, yn ddifrifol, heb fod yn ymosodgar mewn unrhyw fodd... Nid yw'n ymddwyn yn falch, mae e'n fodlon ar fwyd y carchar, ac nid yw'n ysmygu nac yn yfed... Yn ddi-os, bydd Hitler yn ceisio adfer brwdfrydedd o blaid y Mudiad

* **cyfnod prawf**
Cael ei ryddhau o'r carchar ar yr amod y bydd yn parhau i ymddwyn yn dda.

Cenedlaethol, ond ni fydd yn defnyddio'i ddulliau treisgar blaenorol... Dywedaf heb amheuaeth fod ymddygiad cyffredinol Hitler yn y carchar yn haeddu cyfnod prawf*.

Pan glywodd heddlu Bafaria fod Hitler wedi gwneud cais am gael ei ryddhau'n fuan, rhoesant eu hadroddiad eu hunain:

Ffynhonnell 4
Hans Kallenbach, *Mit Adolf Hitler auf Festung Landsberg* ('Gyda Hitler yng Nghaer Landsberg'), 1933.

Dywed y Pencadlys hwn na ddylid rhyddhau Hitler...
Digwyddodd sawl gweithred o drais gan ei ddilynwyr, gan ddod i uchafbwynt yn ei *putsch*, yn unig oherwydd ei ddylanwad ef. Gyda'i egni ef bydd yn ddi-os yn annog rhagor o derfysgoedd cyhoeddus. Bydd yn berygl parhaol i ddiogelwch y wladwriaeth o'r foment y caiff ei ryddhau... Bydd Hitler yn ailddechrau ei ymdrech ddiarbed yn erbyn y llywodraeth ac ni fydd arno ofn torri'r gyfraith.

Er gwaethaf y rhybudd hwn gan yr heddlu, cafodd Hitler ei ryddhau o'r carchar yn Rhagfyr 1924. Addawodd na fyddai'n torri unrhyw gyfreithiau. Felly fe gafodd ganiatâd yr awdurdodau i ailsefydlu'r Blaid Natsïaidd waharddedig. Ac fe wnaeth hynny yn Chwefror 1925 (gw. Ffynhonnell 5).

Ffynhonnell 5
Hitler yn ailsefydlu'r Blaid Natsïaidd yn Chwefror 1925, ar ôl iddo gael ei ryddhau o'r carchar dri mis yn flaenorol.

Cwestiynau

1 Darllenwch y drydedd frawddeg yn Ffynhonnell 2. Ynddi roedd Hitler yn dweud y byddai'n newid ei ddulliau o geisio meddiannu'r llywodraeth. Yn eich geiriau eich hun, disgrifiwch:
   a y dulliau roedd e wedi'u defnyddio cyn mynd i'r carchar
   b y dull newydd y bwriadai ei ddefnyddio ar ôl iddo gael ei ryddhau o'r carchar.
2 Mae Ffynhonnell 3 yn awgrymu bod Hitler wedi newid ar ôl iddo fod yn y carchar. Ym mha ffordd?
3 **a** Beth mae Ffynhonnell 4 yn ei ddweud am Hitler sy'n wahanol i Ffynhonnell 3?
   b Sut y gellid esbonio'r gwahaniaeth hwn?

Adolygu Uned 3

Ffynhonnell 3

Natsïaid yn ymgyrchu mewn etholiad cyffredinol i fynd i'r Reichstag yn Rhagfyr 1924. Fe ymgyrchon nhw ar y cyd â phlaid arall er mwyn osgoi'r gwaharddiad yn erbyn y Blaid Natsïaidd.

Adolygwch eich dealltwriaeth o Uned 3 drwy ateb y cwestiynau isod.

Cwestiynau

1. Beth yw'r symbol ar y faner yn y ffotograff uchod?
2. I ba gorff Natsïaidd roedd y dynion ar y lorri yn perthyn?
3. Gan farnu yn ôl yr hyn a ddarllenwyd gennych yn Uned 3, pa syniadau ydych chi'n meddwl roedd y Natsïaid hyn yn ceisio'u cyfleu i'r cyhoedd?
4. Cymharwch y ffotograff ar y ddalen hon â'r ffotograff ar dudalen 33.
   - **a** Sut mae'r ffotograffau'n awgrymu bod y Natsïaid wedi dechrau defnyddio dulliau mwy democrataidd o ennill grym yn 1924?
   - **b** Yn y ffotograff uchod, ym mha ffyrdd y mae'r Natsïaid *heb* newid er 1923?
5. Pa ddigwyddiadau yn yr 13 mis blaenorol a achosodd i'r Blaid Natsïaidd newid ei dulliau o geisio ennill grym?

Uned 4. Cwymp democratiaeth: Gweriniaeth Weimar, 1924-33

Rhwng 1924 ac 1929 cafwyd adferiad yn yr Almaen ar ôl argyfwng 1923. Galwai'r Almaenwyr y blynyddoedd hynny yn 'Ugeiniau Euraid'. Ond yn 1929 bu cwymp ariannol a daeth yr adferiad i ben. Wedi'r Ugeiniau Euraid, yn y tridegau cafwyd llawer o ddiweithdra, tlodi a newyn.

Ym marn llawer o'r Almaenwyr, y llywodraeth oedd yn gyfrifol am yr argyfwng. Mewn etholiadau, pleidleisiwyd dros wleidyddion eithafol oedd yn honni eu bod yn gwybod sut i ateb y problemau. Adolf Hitler oedd un ohonynt. Rhwng 1929 ac 1933 fe dyfodd ei Blaid Natsïaidd ef o fod yn un o blediau lleiaf yr Almaen i fod y blaid fwyaf, gan ganiatáu iddo ddod i rym yn 1933.

Mae Uned 4 yn disgrifio'r hyn a ddigwyddodd, ac yn gofyn i chi feddwl am y cwestiwn hwn: Sut y bu'n bosibl i ddyn a oedd yn y carchar yn 1924, ac a arweiniai un o bleidiau lleiaf yr Almaen, ddod yn arweinydd y wlad ymhen llai na deng mlynedd?

Poster etholiadol yn dangos Natsi, Comiwnydd a hen filwr Almaenig. Cânt eu dangos fel tri bwli, ac meddai'r geiriau ar y poster, 'Dyma elynion democratiaeth. Ymaith â nhw! Pleidleisiwch dros y Blaid Ddemocrataidd Sosialaidd.'

Yr 'Ugeiniau Euraid', 1924-29

Sut y cafwyd adferiad yn yr Almaen ar ôl argyfwng 1923?

Fel y gwelsoch (tt. 28-31), aeth yr Almaen drwy argyfwng ofnadwy yn 1923 pan feddiannodd y Ffrancwyr ranbarth Ruhr. Aeth pobl y rhanbarth ar streic gan ddefnyddio 'gwrthsafiad goddefol' yn erbyn y Ffrancwyr. Canlyniad hynny fu diweithdra mawr a gorchwyddiant.

Llywodraeth newydd

Gan fod yr Almaen yn agos at gwympo, sefydlwyd llywodraeth newydd i ddod â'r wlad allan o'r argyfwng. Yn gyntaf, rhoddwyd terfyn ar yr ymgyrch yn erbyn y Ffrancwyr yn rhanbarth Ruhr. Yna cyflwynwyd arian newydd, y *Rentenmark*, i gymryd lle y marc diwerth. O ganlyniad i'r ddau gam hyn, fe gytunodd y Ffrancwyr i adael rhanbarth Ruhr, a daeth y gorchwyddiant i ben.

Roedd hynny'n beth drwg i eithafwyr fel y Natsïaid, ac yn beth da i bleidiau cymedrol. Wrth i'r Almaen gryfhau, rhoddodd llawer o bobl eu cefnogaeth i'r llywodraeth ac ymatal rhag pleidleisio dros yr eithafwyr.

Cynllun Dawes

Roedd adferiad yr Almaen yn parhau yn 1924. Yr un a oedd yn bennaf cyfrifol am yr adferiad oedd Gustav Stresemann, Gweinidog Tramor yr Almaen. Llwyddodd, yn gyntaf, i berswadio'r Ffrancwyr, y Prydeinwyr a'r Americanwyr i dderbyn iawndaliadau is. Yn unol â Chynllun Dawes, 1924, cytunodd yr Almaen i dalu cymaint ag y gallai ei fforddio bob blwyddyn, gan ddechrau gyda 1,000 miliwn o farciau. Rhoddodd UDA fenthyciad o 800 miliwn o farciau i roi cychwyn i'r cynllun.

Ffynhonnell 1

'Allan o'r gors'. Poster etholiadol, 1924, ar ran Plaid Genedlaethol Pobl yr Almaen. Dangosir yr Almaen yn wynebu dyfodol gwell wrth iddi gael ei thynnu'n rhydd o broblemau 1918-24.

Gwell perthynas â gwledydd eraill

Llwyddiant nesaf Stresemann oedd gwella'r berthynas rhwng yr Almaen a gwledydd eraill. Gwnaeth hynny drwy arwyddo Cytundebau Locarno yn 1925 (gw. Ffynhonnell 2). Gyda'r cytundebau hyn, addawodd yr Almaen beidio ag ymosod byth ar Ffrainc a Gwlad Belg, ac addawodd gael ateb heddychlon i unrhyw anghytundebau rhyngddi hi a gwledydd tua'r dwyrain.

Cafwyd gwelliant arall yn 1926 pan ganiatawyd i'r Almaen ymuno â Chynghrair y Cenhedloedd. Ac yn 1929, drwy Gynllun Young, cafwyd gostyngiad pellach yn nyled yr Almaen.

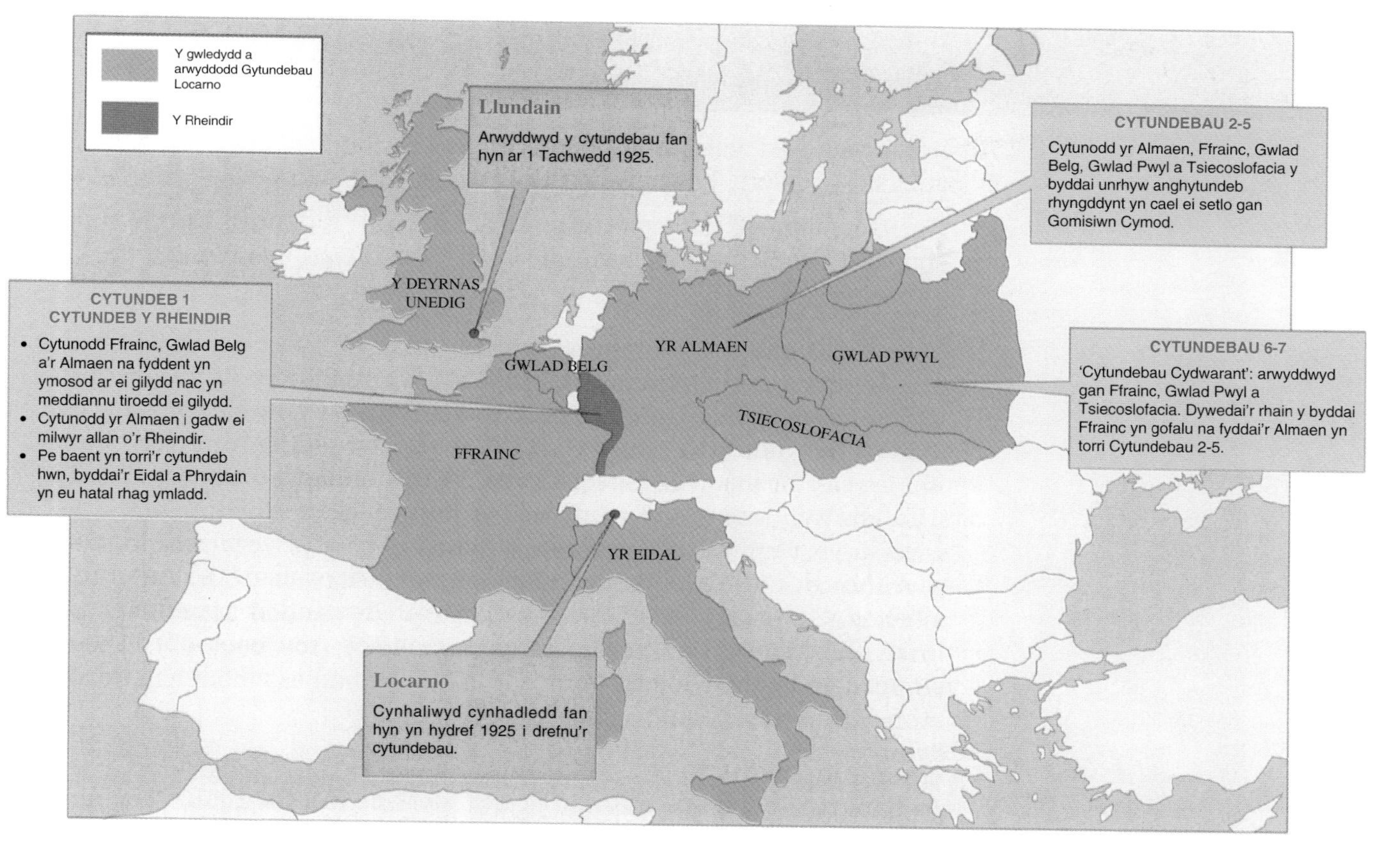

Ffynhonnell 2
Cytundebau Locarno, 1925.

Ffyniant economaidd

Gan fod chwyddiant wedi peidio â bod yn broblem i'r Almaenwyr, roedd banciau tramor yn fodlon benthyg arian i fusnesau a llywodraeth eu gwlad. Rhwng 1924 ac 1929, cafodd yr Almaen fenthyca tua 25,000 miliwn o farciau aur oddi wrth fanciau tramor, rhai Americanaidd yn bennaf. Gyda'r arian hwn adeiladwyd bron i dair miliwn o gartrefi newydd. Ym mwyafrif y trefi, codwyd ffatrïoedd a chyfleusterau newydd. Adeiladwyd ffyrdd a rheilffyrdd newydd. Roedd gan yr Almaen nawr bob math o bethau newydd — awyrlongau, leinars mawrion, gorsafoedd radio, stiwdios ffilmiau a rhwydweithiau ffôn — gan greu'r argraff mai'r Almaen oedd y wlad fwyaf modern a ffyniannus y tu allan i UDA.

Cwestiynau

1 Edrychwch ar Ffynhonnell 1.
   a Dangosir y flwyddyn 1918 yn gyfnod o dywyllwch a dioddefaint. Pa ddigwyddiadau yn 1918 y cyfeirir atynt?
   b Rhowch enghreifftiau o ddigwyddiadau rhwng 1918 ac 1924 oedd hefyd yn cynnwys llawer o ddioddef.
   c Beth a ddigwyddodd yn 1923-24 i wella'r sefyllfa yn yr Almaen?

2 **a** Astudiwch Ffynhonnell 2 a rhestrwch enwau'r gwledydd a arwyddodd Gytundeb Locarno.
   b Eglurwch fanteision Cytundeb y Rheindir i (i) Ffrainc a Gwlad Belg, (ii) Yr Almaen.
   c Dywedodd Stresemann fod Cytundebau Locarno 'yn ddechrau cyfnod newydd'. Pam roedd y cytundebau mor bwysig yn ei farn ef?

Y Dirwasgiad Mawr

Er i'r Almaen gael adferiad ar ôl argyfwng 1923, dim ond am chwe blynedd y parhaodd yr adferiad hwnnw. Yn 1929 daeth argyfwng arall — dirwasgiad economaidd difrifol iawn. Ystyr dirwasgaid yw methiant ariannol, a hynny'n arwain at ddiweithdra a thlodi.

Y dirwasgiad byd-eang

Roedd y dirwasgiad yn yr Almaen yn rhan o ddirwasgiad economaidd byd-eang a ddechreuodd yn yr Unol Daleithiau. Gwaethygodd y dirwasgiad pan fu cwymp sydyn yn Hydref 1929 ym mhrisiau'r cyfranddaliadau yng Nghyfnewidfa Stoc Efrog Newydd. Oherwydd Cwymp Wall Street, bu'n rhaid i lawer o fanciau America gau a bu'n rhaid i filoedd o fusnesau ddod i ben. Cafodd miliynau o bobl eu gwneud yn ddi-waith.

Cafodd yr argyfwng yn America effaith ddrwg ar yr Almaen. Mynnai banciau America fod yr Almaen yn talu'n ôl y benthyciadau a roddwyd iddi er 1924 (gw. t.45). Ar ben hyn fe wrthododd America roi benthyciadau newydd. O ganlyniad bu'n rhaid i lawer o gwmnïau Almaenig a oedd wedi benthyca arian fynd yn fethdalwyr.

Diweithdra

Wrth i gwmnïau gau, collai gweithwyr eu swyddi. Cododd nifer swyddogol y di-waith i dros chwe miliwn erbyn dechrau 1932 (gw. Ffynhonnell 1). Ar ben hynny, roedd rhwng un miliwn a thair miliwn o bobl ddi-waith nad oeddent ar y rhestrau swyddogol. Yn gyfan gwbl, roedd rhwng saith a naw miliwn o Almaenwyr yn ddi-waith erbyn 1932. Gan gynnwys eu teuluoedd, oedd yn dibynnu ar eu henillion, fe effeithiodd diweithdra yn uniongyrchol ar tua 23 miliwn o bobl.

Cafodd y Dirwasgiad effaith hefyd ar y rhai oedd yn dal mewn gwaith. Bu'n rhaid i filiynau o Almaenwyr ddioddef cyflogau isel, gwaith rhan-amser ac amodau gwaith anfoddhaol.

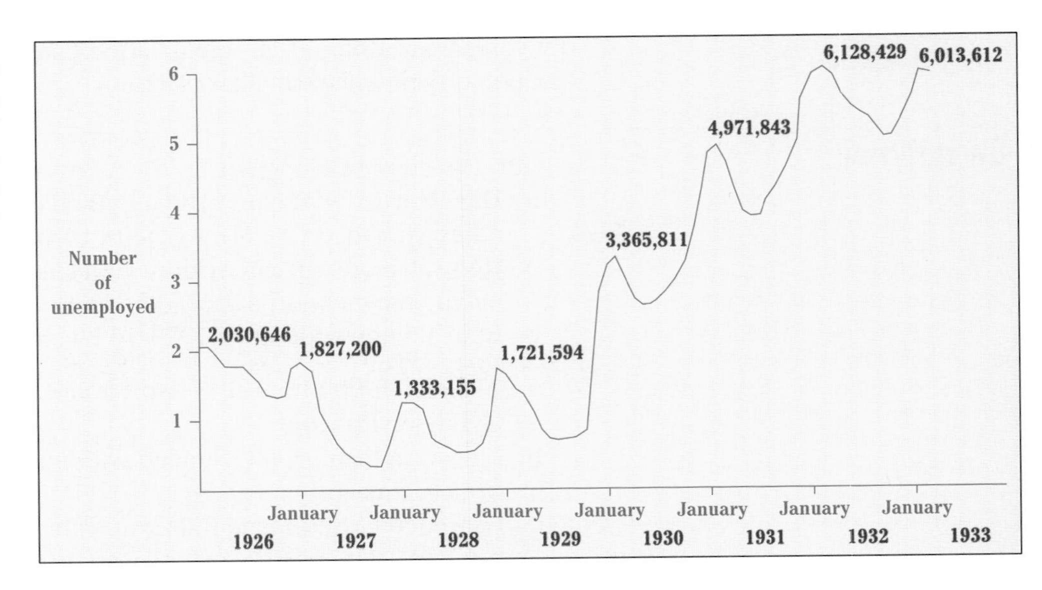

Ffynhonnell 1
Diweithdra yn yr Almaen, 1925-33. Daw'r ffigurau o'r *International Labour Review*, Swyddfa Lafur Ryngwladol, Genefa, 1926-33.

Ffynhonnell 2

Almaenes ddi-waith yn chwilio am waith yn 1930. Mae'r arwydd o'i blaen yn dweud, 'Yn deipydd llaw-fer hyfforddedig, rwy'n ddi-waith ac yn chwilio am unrhyw fath o waith.'

Sut roedd diweithdra yn effeithio ar fywydau pobl?

Ar ôl iddynt golli eu gwaith, câi gweithwyr yr Almaen fudd-dâl diweithdra gan y llywodraeth am 26 o wythnosau. Wedi hynny, roedd rhaid iddynt fyw ar 'daliadau argyfwng' gan y llywodraeth. Mae Ffynhonnell 3, a ysgrifennwyd gan ferch 13 oed, yn egluro'r drefn:

Ffynhonnell 3

Rhan o hunangofiant a ysgrifennwyd gan 'Margot L.' yn Nhachwedd 1932, yn Ruth Weiland, *Die Kinder der Arbeitslosen* ('Plant y Di-waith'), 1933.

Yn gyntaf, aeth fy nhad i arwyddo ar y dôl. Yn ddiweddarach, cafodd 'arian argyfwng'. Roedd rhaid iddo nôl yr arian o'r ganolfan nawdd cymdeithasol. Doedd hynny ddim yn ddigon i dalu am ein costau byw. Yn aml fe welais fy mam yn pendroni dros gwestiwn bwyd a dillad ar gyfer ein teulu o chwech.

Mae Ffynhonnell 4 yn rhoi syniad o'r modd roedd rhieni di-waith yn bwydo'u teuluoedd. Dyma ddiet teulu di-waith yn nhref Marienthal, Awstria, am wythnos yn 1930. Cwblhawyd y daflen fel rhan o arolwg ar ddiweithdra gan Brifysgol Wien (Fienna).

Ffynhonnell 4

	Brecwast	**Cinio canol dydd**	**Pryd gyda'r hwyr**
Llun	coffi, bara	cawl pys, *griessschmarrn**	coffi, bara gyda lard
Mawrth	coffi, bara	bresych, tatws	bresych
Mercher	coffi, bara	cawl tatws, *krautfleckerln**	coffi, bara
Iau	coffi, bara	gwlash tatws	gwlash tatws
Gwener	coffi, bara	cawl, nwdls tatws	coffi, bara
Sadwrn	coffi, bara	cawl tatws, ffa	coffi, bara
Sul	coffi, bara gwyn	cawl, nwdl melys	coffi, bara gwyn

**griessschmarrn*: crempogau semolina

**krautfleckerln* Teisen nwdls wedi'i ffrio gyda bresychen wedi'i sbeisio.

Marie Jahoda, Paul L. Lazarsfeld, Hans Zeisel, *Die Arbeitslosen von Marienthal* ('Y Di-waith ym Marienthal'), 1933.

Ni allai llawer o'r bobl ddi-waith fforddio talu rhent, a bu'n rhaid iddynt adael eu cartrefi. Yn Berlin, bu'n rhaid i filoedd o deuluoedd digartref wersylla yn y coed ar gyrion y ddinas:

Ffynhonnell 5

Walther Kiaulehn, *Schicksal einer Weltstadt* ('Tynged Prifddinas'), 1958.

Dim ond y tad a âi i mewn i'r dref i nôl ei arian dôl. Roedd y gwersylloedd yn tyfu wrth i fwy o bobl gael eu gwneud yn ddi-waith. Roedd ymwelwyr yn synnu at ddistawrwydd y gwersylloedd. Fe welech ddynion yn eistedd o flaen eu pebyll yn rhythu dros y dŵr. Trefnwyd y pebyll mewn rhesi taclus gydag enwau strydoedd a rhifau tai ... Ond doedd dim gronyn o ramant ym mywyd y gwersylloedd — diflastod glân a thaclus ydoedd.

Cwestiynau

1 Edrychwch yn ofalus ar Ffynhonnell 1.
- **a** Ym mha flwyddyn y gwelwyd y cynnydd cyflymaf yn nifer y di-waith?
- **b** Beth oedd y rheswm am hynny?
- **c** Ym mha flwyddyn y gwelwyd y diweithdra mwyaf?

2
- **a** Pa faethynnau sydd ar goll o ddiet y teulu yn Ffynhonnell 4?
- **b** Beth oedd effaith bosibl y diet hwn ar iechyd y teulu?
- **c** Pe bai teulu wedi gorfod byw ar y diet hwn am flynyddoedd, beth fyddai effaith bosibl hynny ar eu teimladau (i) tuag atynt eu hunain, (ii) tuag at y llywodraeth?

Y Natsïaid a'r Dirwasgiad, 1929-32

Ni lwyddodd llywodraeth yr Almaen i helpu'r di-waith, y llwglyd na'r digartref. Roedd trefn bleidleisio'r Almaen — Cynrychiolaeth Gyfrannol (Proportional Representation: PR) — yn fwy o rwystr nag o help yn y cyswllt hwn. Roedd y pleidiau bach yn ogystal â'r pleidiau mawr yn cael cyfran o'r seddau yn y Reichstag (senedd). O ganlyniad, roedd yna gymaint o bleidiau yn y Reichstag fel na allai unrhyw un blaid gael mwy na hanner y seddau (gw. Ffynhonnell 1). Felly, ni allai unrhyw blaid ffurfio llywodraeth. Roedd rhaid i'r pleidiau mwyaf ymuno â'r pleidiau lleiaf i ffurfio llywodraeth glymblaid.

Pan ddechreuodd y Dirwasgiad roedd yna bum plaid yn y llywodraeth glymblaid. Roedd y pleidiau hynny'n anghydweld â'i gilydd bob tro roedd rhaid iddynt wneud penderfyniad. Yn arbennig, ni allent gytuno ynghylch faint o fudd-dâl y dylai'r llywodraeth ei dalu. Roedd un blaid, y Blaid Ddemocrataidd Sosialaidd, am gynyddu'r budd-dâl. Roedd plaid arall am ei ostwng. Yn hytrach na chytuno i'w gynyddu na'i ostwng, fe ymddiswyddodd y Democratiaid Sosialaidd o'r llywodraeth. O ganlyniad, ni allai'r llywodraeth weithredu.

Llywodraethu drwy bwerau argyfwng

Dywedid yn Erthygl 48 y cyfansoddiad beth oedd yr ateb i'r brobem hon. Mewn argyfwng, roedd gan yr Arlywydd hawl i lunio deddfau heb ymgynghori â'r Reichstag.

Cafodd arweinydd Plaid y Canol, Heinrich Brüning, ei wahodd gan yr Arlywydd, y Cadfridog Paul von Hindenburg, i ffurfio llywodraeth newydd heb y Democratiaid Sosialaidd. Bwriad Hindenburg oedd gwneud penderfyniadau Brüning yn ddeddfau (drwy bwerau argyfwng) pe bai'r Reichstag yn gwrthod pleidleisio o'u plaid.

Ffynhonnell 1

Cynllun o'r Reichstag yn dangos nifer seddau pob plaid ar ôl etholiad 1928.

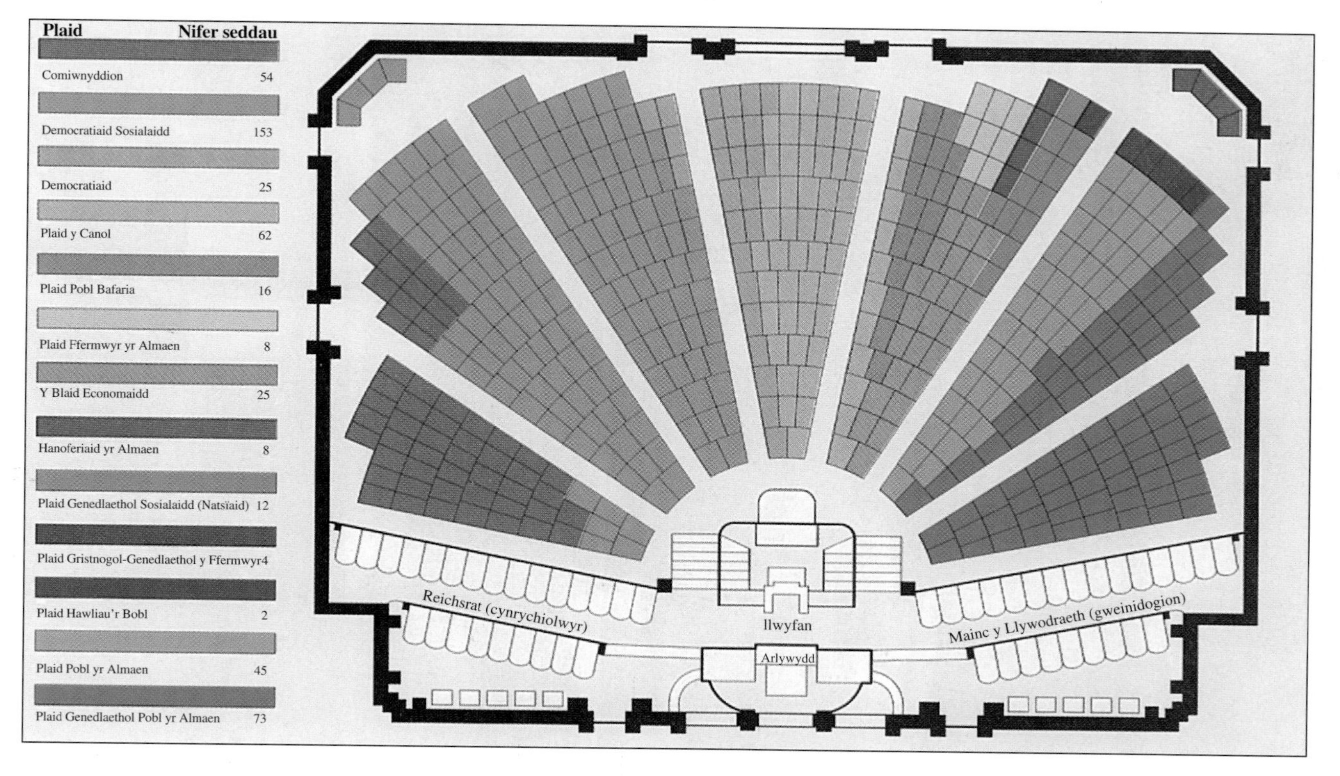

Ffynhonnell 2

Yn syth ar ôl i'r poster gael ei osod ar y golofn hysbysebu yn 1932, mae'r bobl sy'n cerdded heibio yn sefyll i edrych arno. Dywed y poster 'Ein gobaith olaf — HITLER'.

Gyda chymorth Hindenburg, ceisiodd Brüning orchfygu'r Dirwasgiad drwy gwtogi gwariant y llywodraeth, drwy gwtogi cyflogau gweithwyr y llywodraeth a thrwy gynyddu trethi. Roedd mesurau o'r fath yn amhoblogaidd, wrth gwrs. Pan geisiodd y Reichstag eu hatal, rhoddodd Hindenburg orchymyn i ddiswyddo'r Reichstag ac i gynnal etholiadau i gael Reichstag newydd.

Etholiadau 1930

Cynhaliwyd yr etholiadau ym Medi 1930. Roeddent yn drychineb i ddemocratiaeth yr Almaen, oherwydd fe gynyddodd y Natsïaid eu seddau o 12 i 107. Cafodd y Comiwnyddion 54 o seddi. Colli deg o'u seddi a wnaeth y Democratiaid Sosialaidd.

Propaganda'r Natsïaid

Yn dilyn eu llwyddiant yn yr etholiadau hyn, roedd y Natsïaid yn llawn uchelgais. Dros y ddwy flynedd ganlynol, gwnaethant bob ymdrech i gynyddu eu cefnogaeth ymhellach, gan ddyblu eu pleidlais yn 1932. Gwariwyd symiau enfawr o arian ar bropaganda er mwyn ennill mwy o gefnogaeth.

Câi syniadau Natsïaidd eu lledaenu drwy gyfrwng posteri (gw. Ffynhonnell 2), wyth papur newydd a oedd ym meddiant y Natsïaid, a miliynau o bamffledi. Yn bennaf, defnyddiai'r Natsïaid ralïau torfol, neu gyfarfodydd cyhoeddus, i drosglwyddo'u neges. Yn Ffynhonnell 3 disgrifir un o ralïau torfol y Natsïaid yn Berlin yng Ngorffennaf 1932, ar drothwy etholiad cyffredinol.

Ffynhonnell 3

Kurt Ludecke, *I Knew Hitler*, 1938.

Roedd dros gan mil o bobl wedi talu i wasgu i mewn (i'r stadiwm)...Gartref roedd miliynau yn disgwyl wrth y radio...

Y tu mewn i'r stadiwm, roedd y llwyfan wedi'i osod yn berffaith. O gwmpas yr arena anferth, roedd baneri'n chwifio ar gefndir o awyr dywyll... Yn union gyferbyn ymgodai llwyfan y siaradwyr... ac o'i gwmpas y swasticas mawr... Roedd deuddeg o fandiau pres yr SA yn chwarae cerddoriaeth filwrol yn brydferth o gywir ac yn bwerus ofnadwy...

Yn sydyn fe symudodd y dorf fel ton fawr. Ymledodd y si, 'Mae Hitler yn dod! Mae Hitler yn dod!' Rhwygwyd yr awyr gan sain yr utgyrn a neidiodd can mil o bobl ar eu traed... Yna fe waeddodd y dorf ei chymeradwyaeth anferth, y cyfarchion 'Heil'* yn chwyddo a chynyddu nes eu bod fel rhuo rhaeadr grymus.

* **heil** Gair Almaeneg am 'henffych' ('hail') — ffurf ar gyfarchiad.

Ffynhonnell 4

Pleidleisiau a roddwyd i'r prif bleidiau yn etholiadau'r Reichstag, 1924-32.

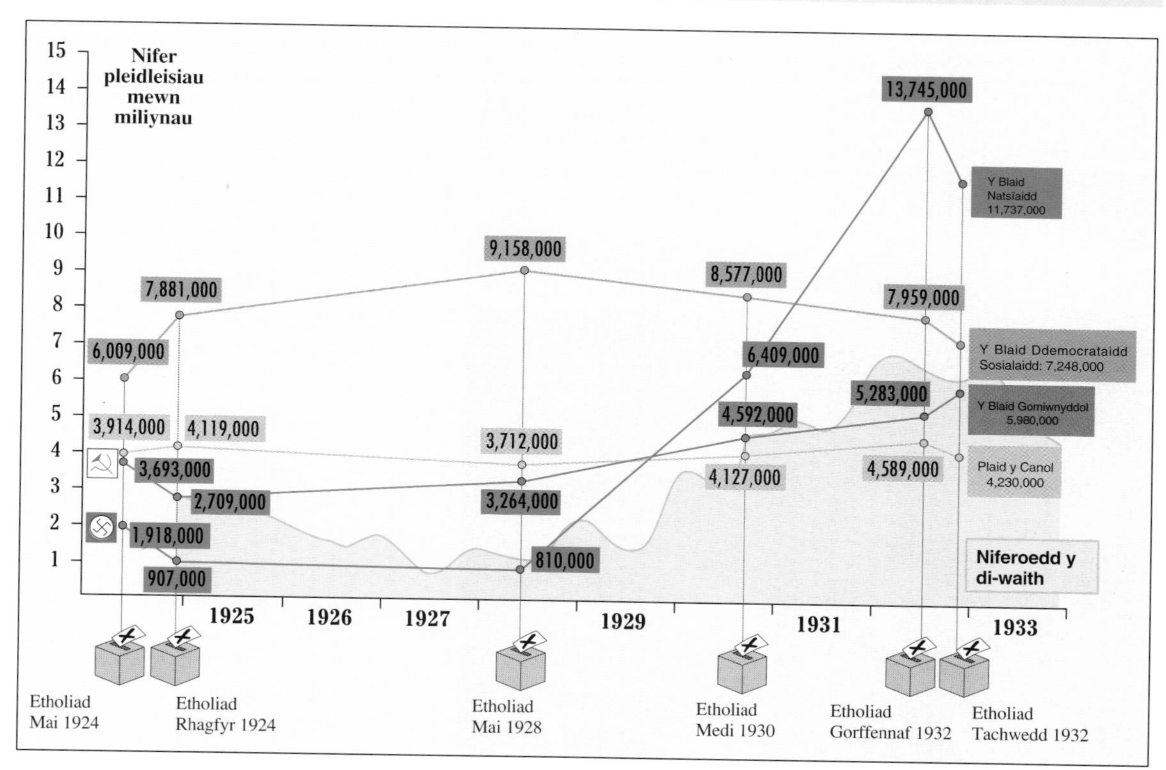

Cwestiynau

1 Edrychwch yn ofalus ar Ffynhonnell 1.
- **a** Beth oedd cyfanswm nifer seddau'r gwahanol bleidiau yn y Reichstag?
- **b** Gan ba un o'r pleidiau yr oedd mwyafrif y seddau yn y Reichstag yn y cyfnod hwn?
- **c** Pam na allai'r blaid honno ffurfio llywodraeth?
- **ch** Faint yn rhagor o seddau oedd eu hangen ar y blaid honno i ffurfio llywodraeth?
- **d** Pa bleidiau y gallai'r blaid honno eu gwahodd i gael rhan yn y llywodraeth, er mwyn cael digon o seddau?
- **dd** Pa broblemau y gallai trefniant o'r fath eu hachosi?

2 Astudiwch Ffynhonnell 4.
- **a** Disgrifiwch y newidiadau yn niferoedd (i) pleidleiswyr y Natsïaid, (ii) pleidleiswyr y Comiwnyddion, (iii) pleidleiswyr y Democratiaid Sosialaidd, (iv) pleidleiswyr Plaid y Canol.
- **b** Gan ddefnyddio Ffynonellau 2, 3 a 4, rhowch resymau dros y newidiadau hyn.

Hitler yn dod yn Ganghellor

Ffynhonnell 1

'Y Senedd Farw', gan yr arlunydd Almaenig John Heartfield. Ffotogyfosodiad yw'r llun hwn, sef cyfuniad o wahanol ffotograffau. Cafodd ei gyhoeddi mewn cylchgrawn Comiwnyddol yn Hydref 1930. Dangosir Reichstag wag heb ddim i'w wneud am fod yr Arlywydd yn defnyddio Erthygl 48 y cyfansoddiad i lunio deddfau heb ymgynghori â'r Reichstag. Ar ddesg yr Arlywydd gwelir helmed filwrol gyda swastica, het uchel a meitr esgob, gan awgrymu bod yr Arlywydd yn plygu i ddylanwad swyddogion milwrol pro-Natsïaidd, dynion busnes a'r Eglwys.

Llywodraeth Brüning

O 1930 hyd 1932 câi'r Almaen ei llywodraethu gan yr Arlywydd a'r Canghellor Brüning drwy gyfrwng pwerau argyfwng. Doedd hynny ddim yn ddull democrataidd o lywodraethu, ond nid oedd yn anghyfreithlon chwaith. Roedd Erthygl 48 y cyfansoddiad yn caniatáu i'r Arlywydd lywodraethu yn y dull hwnnw. Fodd bynnag, yn y blynyddoedd hynny y dechreuodd democratiaeth farw. Golygai fod cyfeillion yr Arlywydd, swyddogion y fyddin a'u tebyg, yn cael mwy o ddylanwad ar y broses o lunio cyfreithiau na'r Reichstag etholedig. Mae Ffynhonnell 1 yn feirniadaeth ar hynny.

Er iddo gael cefnogaeth yr Arlywydd Hindenburg, roedd Brüning yn amhoblogaidd iawn. Methodd ei bolisïau â rhoi terfyn ar y Dirwasgiad. Ac roedd llawer o bobl ddylanwadol, megis dynion busnes a thirfeddianwyr, yn casáu ei bolisïau. Gan fanteisio ar amhoblogrwydd Brüning, aeth un o uwchswyddogion y fyddin, y Cadfridog Schleicher, at Hindenburg a'i berswadio i ddiswyddo Brüning. Cymerwyd ei le gan wleidydd arall o Blaid y Canol, Franz von Papen.

Llywodraeth Papen

Dim ond 68 o gefnogwyr a oedd gan Papen yn y Reichstag. Felly fe gynhaliodd etholiad ym Mehefin 1932, gan obeithio ennill mwy o gefnogaeth. Ond cafodd ei siomi (gw. Ffynhonnell 4, t.51). Y Natsïaid erbyn hynny oedd y blaid fwyaf yn y Reichstag, a mynnai Hitler gael ei benodi'n Ganghellor.

Ond gwrthododd Hindenburg benodi Hitler yn Ganghellor. Nid oedd yn ymddiried ynddo, a chredai fod y Natsïaid yn rhy dreisgar i gael grym gwleidyddol. Felly, gofynnodd i Papen aros yn y swydd. Roedd Hindenburg yn fodlon helpu Papen drwy roi gorchmynion i weithredu ei benderfyniadau.

Doedd hynny ddim yn gymorth i Papen. Penderfynodd aelodau'r Reichstag newydd gynnal pleidlais i benderfynu a oeddent yn ymddiried ynddo. Pleidleisiodd 32 o'i blaid, ond 513 yn ei erbyn. Yn wyneb y bleidlais o ddiffyg ymddiriedaeth, trefnodd Papen etholiad arall ar gyfer Tachwedd, gan obeithio o hyd y byddai'r Reichstag yn ei gefnogi.

Schleicher yn cymryd yr awenau

Roedd gan Papen lai fyth o seddau ar ôl etholiad Tachwedd. Felly aeth at Hindenburg gyda chynllun newydd. Awgrymodd eu bod yn cau'r Reichstag, a llywodraethu drwy archddyfarniadau (decrees), gan ddefnyddio'r fyddin i orchfygu unrhyw wrthwynebiad. Cytunodd Hindenburg â'r cynllun.

Yna soniodd y Cadfridog Schleicher am berygl mawr oedd yn eu hwynebu. Dywedodd wrth Hindenburg na fyddai cynllun Papen yn gweithio gan y byddai'r Natsïaid, y Comiwnyddion ac eithafwyr eraill yn cael eu cythruddo i ddefnyddio grym arfau yn erbyn y llywodraeth.

Ffynhonnell 2

Cenedlaetholwyr mewn lorïau (ochr dde) yn ymosod ar Ddemocratiaid Sosialaidd (ochr chwith) yn Berlin.

Byddai hynny, meddai, yn arwain at ryfel cartref. Roedd Schleicher am osgoi golygfeydd tebyg i'r un a welir yn y llun uchod (Ffynhonnell 2). Ni ellid dibynnu ar y fyddin i atal rhyfel cartref, meddai. Gan na all yr un llywodraeth reoli heb gefnogaeth y fyddin, bu'n rhaid i Papen ymddiswyddo. Schleicher oedd y Canghellor yn awr.

Bu yn y swydd am ddau fis yn unig. Nid oedd y Reichstag yn fodlon cefnogi ei benderfyniadau. Felly, fel Brüning a Papen, gofynnodd i Hindenburg lunio deddfau drwy archddyfarniadau. Roedd Hindenburg yn ddrwgdybus ohono. Rai wythnosau ynghynt roedd Schleicher wedi rhybuddio rhag rhyfel cartref pe bai Papen yn llywodraethu drwy archddyfarniadau. Nawr roedd yn gofyn am yr un cymorth. Gwrthododd Hindenburg a gofynnodd i Schleicher ymddiswyddo.

Hitler yn cael grym i'w ddwylo

Roedd dau Ganghellor wedi dod a mynd mewn 18 mis yn unig. Doedd gan Hindenburg ddim dewis arall yn awr. Roedd rhaid iddo gynnig y swydd i arweinydd y blaid fwyaf — Hitler. Gwnaeth Hitler yn Ganghellor ar 30 Ionawr 1933.

A wnaeth Hitler ennill grym yn gyfreithlon?

Gwelsoch ar dudalen 14 i Hitler benderfynu gweithredu mewn modd cyfreithlon pan ddaeth allan o'r carchar. Naw mlynedd yn ddiweddarach, daeth yn Ganghellor ar ôl ennill cyfres o etholiadau ac ar ôl i Arlywydd yr Almaen gynnig y swydd iddo. Ond a oedd hynny yn gwbl gyfreithlon mewn gwirionedd? Cyn rhoi eich ateb, astudiwch y disgrifiadau o ymgyrchoedd etholiadol y Natsïaid yn Ffynonellau 3-8.

Ffynhonnell 3

O bapur newydd cymedrol yn Berlin, *Vossische Zeitung*, 28 Gorffennaf 1932.

28 Gorffennaf 1932: ger Stettin, fe ruthrodd milwyr yr SA i mewn i un o gyfarfodydd y Democratiaid Sosialaidd. Rhoesant her i'r siaradwr dynnu'n ôl y sylw a wnaeth am Adolf Hitler... Yna fe ymosodon nhw ar bobl yn y gynulleidfa â chadeiriau, gan anafu deg ohonynt yn ddifrifol. Roedd y neuadd yn draed moch.

Ffynhonnell 4

Adroddiad ar ddulliau ymgyrchu'r Natsïaid yn etholiadau 1930. Awdur yr adroddiad oedd Gweinidog Cartref Prwsia.

Bydd sgwadiau propaganda yn aros mewn man arbennig am nifer o ddyddiau er mwyn ceisio denu'r boblogaeth leol i gefnogi'r Natsïaid. Defnyddiant bob math o ddiddannwch megis cyngherddau, chwaraeon, gorymdeithiau milwrol a hyd yn oed orymdeithiau eglwysig. Mewn mannau eraill bydd propaganda'n cael ei ledaenu gan siaradwr arbennig. Bydd ganddo fodur i'w gludo i bob rhan o'r ardal. Bydd theatrau teithiol y Natsïaid yn mynd o le i le hefyd gyda'r un nod a'r un diben.

Ffynhonnell 5

Disgrifiad o ymgyrch etholiadol 1932 yn Kurt Ludecke, *I Knew Hitler*, 1938.

* **Beobachter** ac **Angriff** Papurau newydd Natsïaidd.

Wrth imi gerdded drwy strydoedd Berlin, gallwn weld baneri'r Blaid yn amlwg ym mhobman. Roedd sloganau anferth... a sloganau'r Natsïaid yn amlwg yn y ffenestri a'r ciosgau... Roedd pobl yn gwisgo bathodynau; roedd dynion mewn iwnifform yn ymwthio drwy'r dorf, y swastica'n amgylchynu eu breichiau cydnerth. Roedd yno bentwr o *Beobachter** ac *Angriff**.

Ffynhonnell 6

Brwydr rhwng y Comiwnyddion (blaendir) a chyrchfilwyr Natsïaidd (cefndir) ar ôl iddynt ymosod ar gyfarfod etholiadol comiwnyddol yn Berlin yn 1932.

Ffynhonnell 7

Arnold Brecht, *Prelude to Silence. The End of the German Republic*, 1944. Roedd yr awdur yn uwch-swyddog yn y llywodraeth yn 1932. Gwrthwynebai'r Blaid Natsïaidd.

1 Awst: Ymgais yn Königsberg i ladd Arlywydd Prwsia ac un o'r cynghorwyr dinesig, a fu farw o ganlyniad i'w anafiadau. Dau Gomiwnydd a dau o arweinwyr y Blaid Ddemocrataidd Sosialaidd yn cael eu hanafu'n ddifrifol. Bomiau'n cael eu taflu at adeiladau tri phapur newydd.

2 Awst: Bomiau'n cael eu gosod mewn deg o drefi yn Holstein, llawddrylliau'n cael eu tanio yn Marienberg, a grenadau llaw yn cael eu taflu.

3 Awst: Saethu a lladd Maer Norgau ...
4 Awst: Dau blismon yn cael eu lladd yn Gleiwitz. Bomiau'n cael eu taflu at siop fawr yn Ortelsberg...
5 Awst: Cynllwyn i fomio swyddfa gangen y Reichsbank yn Lötzen.
6 Awst: Grenadau llaw yn cael eu taflu at siop fferyllydd yn Lyck, llawddryll yn cael ei saethu at gartref Comiwnydd yn Tilsit...
7 Awst: Saethu a lladd arweinydd y *Reichsbanner** yn Lötzen, grenadau llaw yn cael eu taflu at swyddfa papur newydd y Catholigion.
9 Awst: Dros ugain ymosodiad â grenadau, bomiau a llawddrylliau yn Silesia a Dwyrain Prwsia. Un o'r Natsïaid yn cael ei ddryllio a'i ladd gan ei grenâd ei hun yn Reichenbach... Comiwnydd, o'r enw Pietzruch, yn cael ei lofruddio'n greulon gerbron ei fam gan bump o'r Natsïaid.

* **Reichsbanner**
Adain barafilwrol y Blaid Ddemocrataidd Sosialaidd. Fel SA y Natsïaid, gwisgent iwnifform.

Ffynhonnell 8

Argraffwyd y cartŵn hwn yn 1932 mewn cylchgrawn a gyhoeddid gan y Sosialwyr Democrataidd. Meddai'r capsiwn, 'Dehongliad Hitler o'r gair "cyfreithlon".'

Cwestiynau

1 Edrychwch ar Ffynhonnell 1.
  a Esboniwch yn eich geiriau eich hun ystyr (i) y seddi gwag, (ii) y rhif §48, (iii) teitl y llun, 'Y Senedd Farw'.
  b Beth oedd John Heartfield am i bobl ei feddwl pan welent y llun? Esboniwch eich ateb.

2 Edrychwch yn ofalus ar Ffynhonnell 8.
  a Sut mae'r cartwnydd yn awgrymu bod Hitler wedi defnyddio (i) dulliau cyfreithlon, (ii) dulliau anghyfreithlon yn yr ymgyrchoedd etholiadol?
  b Ydych chi'n meddwl bod y cartwnydd eisiau i ni feddwl bod Hitler wedi cael grym mewn,modd cyfreithlon ynteu anghyfreithlon? Esboniwch eich ateb.
  c Yn ôl Ffynonellau 3-7, ydych chi'n credu bod y cartwnydd yn deg? Esboniwch eich ateb yn llawn, gan gyfeirio at y ffynonellau.

Adolygu Uned 4

Astudiwch y ffotograffau isod, yna atebwch y cwestiynau sy'n canlyn.

Ffynhonnell 1 Gyda thorf o'i gefnogwyr yn cymeradwyo, mae Hitler yn gadael palas yr Arlywydd ar ôl iddo gymryd y llw i fod yn Ganghellor newydd yr Almaen.

Ffynhonnell 2 Dri mis ar ôl iddo gael ei ryddhau o'r carchar, mae Hitler yn ailsefydlu'r Blaid Natsïaidd.

Ffynhonnell 3 Wedi iddynt ennill 95 o seddau mewn etholiad cyffredinol, mae 107 o Natsïaid yn eu crysau brown yn eistedd yn y Reichstag.

Ffynhonnell 4 Dynion blinedig, diysbryd a di-waith yn bwyta mewn cegin nawdd yn Berlin ar ddechrau'r Dirwasgiad Mawr.

Cwestiynau

1 Tynnwyd y lluniau uchod rhwng 1925 ac 1933. Gan ddefnyddio'r wybodaeth yn Uned 4 y llyfr hwn, nodwch ym mha flwyddyn y tynnwyd pob llun.

2 Edrychwch ar y ffotograffau yn eu trefn gronolegol. Yna ysgrifennwch dri pharagraff i esbonio'r cysylltiadau rhwng pob un.

3 Pe na bai'r digwyddiadau yn yr ail lun wedi digwydd, a fyddai'r digwyddiadau yn y trydydd a'r pedwerydd llun wedi digwydd? Esboniwch eich ateb.

Uned 5. Difetha democratiaeth: Hitler yn dod yn unben, 1933-34

Daeth Hitler yn Ganghellor yr Almaen ar 30 Ionawr 1933. Pan enillodd etholiad arall ym mis Mawrth, cafodd rym gan senedd y Reichstag i lunio deddfau heb ofyn caniatâd. Yn fuan iawn dechreuodd ddefnyddio'r grym hwnnw i chwalu'r holl bleidiau a mudiadau a fyddai'n debygol o'i wrthwynebu. Yna rhoddodd yr holl gyrff pwysig dan reolaeth y Natsïaid. Ac felly daeth Hitler yn unben a'r Almaen yn weriniaeth un blaid.

Gelwir arweinydd sydd â grym llwyr a chyfan gwbl yn unben. Er mwyn cadw'r grym, llofruddiai Hitler unrhyw aelod o'r blaid Natsïaidd a oedd yn debygol o'i wrthwynebu. Yna, pan fu farw'r Arlywydd Hindenburg yn 1934, gwnaeth ei hun yn Arlywydd yn ogystal â Changhellor. Ef oedd y '*Führer*'!

Yn yr uned hon byddwn yn astudio'r modd y daeth Hitler yn unben, ac yn gofyn sut y bu'n bosibl iddo ddinistrio'r system ddemocrataidd mor llwyr a chyflym.

'Hitler — Dinistr yr Almaen.' Darlun o daflen wrth-Natsïaidd a gyhoeddwyd yn 1933. Dangosir pobl yr Almaen yn cael eu harwain i fedd democratiaeth yr Almaen.

Y Natsïaid yn cipio grym

Er ei fod yn awr yn Ganghellor, roedd cyfyngiadau ar rym Hitler. Dim ond tri o weinidogion y llywodraeth o blith un ar ddeg oedd yn Natsïaid. Roedd y blaid Natsïaidd yn berchen ar lai na hanner seddau'r Reichstag. A gallai Hindenburg ddiswyddo Hitler yr un mor rhwydd ag y gwnaeth ef yn Ganghellor pe bai'n methu â llywodraethu'n effeithiol. Felly, chwiliodd Hitler am ffyrdd i gynyddu ei rym.

I ddechrau, trefnodd etholiad arall gan obeithio ennill mwyafrif seddau'r Reichstag. Gan ddefnyddio propaganda o bob math, yn ogystal â chyfarfodydd torfol a gorymdeithiau, roedd y Natsïaid yn anelu at fuddugoliaeth ysgubol. Roeddent hefyd yn dal i ddefnyddio trais yn erbyn y pleidiau eraill, yn enwedig y Comiwnyddion.

Y Reichstag ar dân

Rhoddwyd hwb i ymgyrch etholiadol y Natsïaid gan ddigwyddiad annisgwyl ar 27 Chwefror 1933. Llosgwyd y Reichstag i'r llawr. Daliwyd Comiwnydd o'r enw Marinus van der Lubbe yn y fan a'r lle.

Anghytuna haneswyr ynglŷn â sut y cyneuwyd y tân. Dywed rhai mai'r Natsïaid oedd yn euog, a'u bod wedi cyhuddo van der Lubbe er mwyn beio'r Comiwnyddion. Cred eraill honiad van der Lubbe mai ef ei hun oedd yn gyfrifol.

Pwy bynnag a gyneuodd y tân, roedd yn gyfleus iawn i'r Natsïaid. Hawliodd Hitler mai dyma ddechrau cynllwyn gan y Comiwnyddion yn erbyn y llywodraeth. Gofynnodd i'r Arlywydd Hindenburg am rymoedd ychwanegol i'w alluogi i ymdrin â'r cynllwyn. Credai Hindenburg fod yr Almaen mewn perygl, felly rhoddodd orchymyn i lunio deddf arbennig: 'Deddf Amddiffyn y Bobl a'r Wladwriaeth'.

Ffynhonnell 1

Y Reichstag ar dân o hyd, bore 28 Chwefror 1933.

Ffynhonnell 2
Cyrchfilwyr Natsïaidd yn rhoi curfa i Gomiwnydd yn ystod ymgyrch etholiadol 1933.

Ataliodd y ddeddf argyfwng hon rannau o'r cyfansoddiad (gweler Ffynhonnell 4, t.60). Caniataodd hynny i'r Natsïaid chwalu ymgyrch etholiadol y Comiwnyddion. Restiodd cyrchfilwyr 4,000 o Gomiwnyddion, rhwystro papurau newydd Comiwnyddol rhag cael eu cyhoeddi, a rhoi terfyn ar gyfarfodydd y Comiwnyddion (gweler Ffynhonnell 2).

Etholiad 5 Mawrth 1933
Cynhaliwyd yr etholiad ar 5 Mawrth. Enillodd y Natsïaid fwy nag erioed o seddau yn y Reichstag. Ond, fel y gwelwch o astudio Ffynhonnell 3, nid oedd ganddynt fwyafrif er hynny. Hefyd roedd gan y Comiwnyddion 81 o seddau o hyd, ac roedd cyfanswm seddau Plaid y Canol a'r Sosialwyr bron yr un fath ag ydoedd yn flaenorol. Roedd hyn yn groes i fwriad Hitler.

Ffynhonnell 3
Statistisches Jahrbuch für das Deutsche Reich ('Llyfr Ystadegau Reich yr Almaen'), 1933.

Canlyniadau etholiadau Mawrth 1933	
Y Blaid Natsïaidd	288 sedd
Plaid y Democratiaid Cymdeithasol	120 sedd
Y Blaid Gomiwnyddol	81 sedd
Plaid y Canol	74 sedd
Y Blaid Genedlaethol	52 sedd
Y pleidiau eraill	32 sedd

Llwyddodd Hitler i oresgyn yr anhawster hwn gyda chymorth y Blaid Genedlaethol. Perswadiodd Hitler y blaid honno i uno â'r Blaid Natsïaidd. O drwch blewyn, fe ffurfiai'r 52 sedd oedd yn ei meddiant hi, o'u hychwanegu at 288 sedd y Natsïaid, gyfanswm ychydig yn fwy na hanner seddau'r Reichstag.

Y Ddeddf Alluogi
Er bod ganddo'n awr fwyafrif yn y Reichstag, nid oedd Hitler yn fodlon. Dymunai weld y Reichstag yn cyflwyno 'Deddf Alluogi'. Byddai hynny'n ei alluogi i lunio deddfau am bedair blynedd heb orfod ceisio sêl bendith. Yn wir, byddai'r Ddeddf Alluogi yn rhoi grym unben i Hitler.

Byddai angen newid cyfansoddiad yr Almaen er mwyn cyflawni hyn. Ond dywedai'r cyfansoddiad y byddai'n rhaid i o leiaf ddwy ran o dair o'r Reichstag bleidleisio o blaid newid cyn y gallai hynny ddigwydd. Gan mai hanner y seddau'n unig, ac nid dwy ran o dair ohonynt, oedd ym meddiant Hitler, byddai'n rhaid iddo berswadio o leiaf 91 o aelodau eraill i bleidleisio o blaid y Ddeddf Alluogi. Yn Ffynhonnell 5 gwelir un dull a ddefnyddiodd i wneud hyn. O ganlyniad pleidleisiodd 444 aelod, sef ychydig yn fwy na dwy ran o dair o'r aelodau, o blaid y ddeddf. Dim ond 94 a bleidleisiodd yn ei herbyn. Felly daeth Hitler yn unben, a pheidiodd yr Almaen â bod yn ddemocratiaeth.

'Cipio grym'?

Disgrifia nifer o haneswyr y modd y cryfhaodd Hitler ei safle yn gynnar yn 1933 fel 'cipio grym'. Ond, fel y gwelsoch, cynyddwyd ei rym drwy gyfrwng deddfau newydd a luniwyd. Felly, ydy hi'n gywir dweud mai 'cipio' grym a wnaeth? Gadewch i ni ystyried y deddfau a'r modd y cawsant eu llunio. Y ddeddf gyntaf oedd Deddf Amddiffyn y Bobl a'r Wladwriaeth. Ataliodd hon adrannau canlynol y cyfansoddiad:

Ffynhonnell 4

Heinrich Oppenheimer, *The Constitution of the German Republic*, 1923.

* **cysegredig** Ni ellir ei ddwyn ymaith.
* **ymgynnull** Cynnal cyfarfodydd cyhoeddus.

Cymal 114 Mae rhyddid personol yn gysegredig*...
Cymal 115 Mae cartref pob Almaenwr yn noddfa iddo ac yn gysegredig.
Cymal 117 Mae preifatrwydd gohebiaeth, yn ogystal â phreifatrwydd negeseuon post, negeseuon telegraffig a galwadau ffôn yn gysegredig.
Cymal 118 Mae gan bob Almaenwr hawl, o fewn terfynau'r gyfraith gyffredinol, i fynegi ei farn ar lafar, yn ysgrifenedig, yn gyhoeddedig, drwy gyfrwng lluniau, neu mewn dull arall... Nid oes sensoriaeth yn bodoli...
Cymal 123 Mae gan bob Almaenwr hawl...i ymgynnull* yn heddychlon a heb arfau.
Cymal 124 Mae gan bob Almaenwr hawl i ffurfio cymdeithasau...
Cymal 153 Mae eiddo wedi'i ddiogelu gan y Cyfansoddiad.

Fe gyfarfu'r Reichstag mewn tŷ opera yn Berlin er mwyn pleidleisio ynglŷn â'r Ddeddf Alluogi. Nid oedd modd defnyddio adeilad y Reichstag oherwydd y difrod a wnaethpwyd gan y tân. Disgrifiwyd awyrgylch y cyfarfod hwnnw gan un o'r Democratiaid Cymdeithasol oedd yn bresennol:

Ffynhonnell 5

Wilhelm Hoegner, *Der Schwierige Aussenseiter* ('Yr Alltud Anodd ei Drin'), 1963.

Roedd y sgwâr eang o flaen Tŷ Opera Kroll yn llawn o bobl. Fe'n croesawyd gan lafarganu gwyllt: 'Rhaid i ni gael Deddf Alluogi!' Roedd llanciau ifanc gydag arwyddlun y swastica ar eu mynwes yn ein llygadu'n ddigywilydd, yn sefyll yn ein ffordd, ac yn wir yn ein rhoi dan y lach, yn ein galw yn 'fochyn y Canol', 'hwch Farcsaidd'. Roedd Tŷ Opera Kroll yn berwi gan aelodau arfog o'r SA a'r SS.... Wedi i ni Ddemocratiaid Cymdeithasol eistedd yn ein seddau yn y pen pellaf un ar y chwith, safodd gwŷr yr SA a'r SS yn rhesi yn ymyl yr allanfeydd ac mewn hanner cylch ar hyd y waliau y tu ôl i ni. Yn ôl yr olwg ar eu hwynebau, doedd pethau ddim yn argoeli'n dda.

Roedd y Ddeddf Alluogi, a basiwyd y diwrnod hwnnw, yn nodi bod:

Ffynhonnell 6

Reichsgesetzblatt ('Newyddiadur Deddfau'r Reich'), 1933.

* **Cabinet y Reich** Y Gweinidogion yr oedd Hitler yn ben arnynt, ac a oedd yn rheoli amrywiol adrannau'r llywodraeth.

Cymal 1 Mae Cabinet y Reich* wedi cael yr hawl i gyhoeddi deddfau.
Cymal 2 Gall y deddfau a gyhoeddir gan Gabinet y Reich wyro oddi wrth yr hyn a ddywed y Cyfansoddiad.
Cymal 3 Y Canghellor fydd yn paratoi'r deddfau a gyhoeddir gan Gabinet y Reich...Oni nodir yn wahanol, dônt i rym drannoeth y cyhoeddi....
Cymal 5 Daw'r ddeddf hon i rym ar y dydd y'i cyhoeddir. Bydd yn peidio â bod yn ddilys ar 1 Ebrill 1937....

Ffynhonnell 7
Mae'r poster hwn sy'n gysylltiedig ag etholiad Mawrth 1933 yn dangos yr Arlywydd Hindenburg (ar y chwith) a Hitler, y Canghellor newydd, yn apelio ar bleidleiswyr i 'ymladd gyda ni dros heddwch a hawliau cyfartal'.

Cwestiynau

1 Astudiwch Ffynhonnell 4, yna atebwch y cwestiynau a ganlyn:
  a Nodwch chwe pheth y dywedai'r cyfansoddiad eu bod yn gysegredig.
  b Rhoddwch enghreifftiau o 'ryddid personol' (Cymal 114).
  c Beth yw sensoriaeth (Cymal 118)?
  ch Pam y byddai ar bobl eisiau 'ymgynnull' (Cymal 123)?
  d Pa fath o 'gymdeithasau' (Cymal 124) y byddai ar bobl eisiau eu ffurfio?
2 Disgrifiwch yn eich geiriau eich hun sut y gallasai atal y rhannau hyn o'r cyfansoddiad effeithio ar fywyd rhywun.
3 Astudiwch Ffynhonnell 5. Pa bwysau oedd ar Blaid y Canol ac aelodau Plaid y Democratiaid Cymdeithasol i bleidleisio o blaid y Ddeddf Alluogi?
4 Astudiwch y Ddeddf Alluogi (Ffynhonnell 6). Pam, yn eich barn chi, er gwaethaf y pwysau arnynt i bleidleisio o blaid y ddeddf hon, y pleidleisiodd y 94 aelod Sosialaidd yn erbyn y ddeddf?
5 A barnu yn ôl y testun a'r ffynonellau yn yr adran hon, ydych chi'n credu bod Hitler wedi 'cipio' grym, neu ai derbyn grym gan eraill a wnaeth? Esboniwch y rhesymau dros eich ateb.

Gwneud i'r Almaen ufuddhau

Gan fod Hitler erbyn hyn yn gallu llunio deddfau ar ei liwt ei hun, fe ad-drefnodd system wleidyddol yr Almaen nes bod pob rhan ohoni dan reolaeth y Natsïaid. Galwodd hyn yn *Gleichschaltung* sef 'gwneud i rywun neu rywbeth ufuddhau'.

Gwneud i'r taleithiau ufuddhau

Ffederasiwn yn cynnwys deunaw talaith oedd yr Almaen (gw. t.19). Roedd gan bob talaith ei senedd, ei heddlu a'i chyfreithiau ei hun. Ar 31 Mawrth 1933 caeodd Hitler seneddau'r taleithiau. Yna, fe ad-drefnwyd pob un ohonynt nes bod iddynt yr un cyfansoddiad â'r Reichstag. Golygai hyn mai'r Natsïaid oedd y blaid fwyaf yn seneddau'r taleithiau i gyd.

Ar 7 Ebrill penododd Hitler reolwyr ar gyfer pob talaith. Roedd y deunaw ohonynt yn Natsïaid. A rhoddwyd yr hawl iddynt benodi a diswyddo swyddogion y taleithiau. Rhoddwyd yr hawl iddynt hefyd lunio deddfau ar gyfer y taleithiau.

Yn ddiweddarach, ar 30 Ionawr 1934, byddai Hitler yn dileu seneddau'r taleithiau.

Gwneud i'r undebau llafur ufuddhau

Y nesaf i gael eu gorfodi i ufuddhau oedd yr undebau llafur. Ar 2 Mai 1933, torrodd y Natsïaid i mewn i swyddfeydd yr undebau llafur ledled y wlad (gw. Ffynhonnell 1) a restiwyd miloedd o swyddogion yr undebau. Yna cafodd yr undebau eu cyfuno yn 'Ffrynt Llafur yr Almaen'. Natsi oedd yn rheoli'r corff hwn.

Gwneud i'r pleidiau ufuddhau

Yn olaf, gwnaethpwyd i'r pleidiau ufuddhau. Ar 10 Mai meddiannodd y Natsïaid swyddfeydd Plaid y Democratiaid Cymdeithasol, difetha ei phapurau newydd a chymryd yr arian o'i chronfa. Bythefnos yn ddiweddarach dygwyd

Ffynhonnell 1

Cyrchfilwyr Natsïaidd yn meddiannu swyddfeydd yr undebau llafur Almaenig ym München ar 2 Mai 1933.

ymaith holl eiddo ac arian y Blaid Gomiwnyddol. A digwyddodd yr un peth i'r pleidiau bychain eraill ym mis Mehefin. Caewyd eu swyddfeydd fesul un. Restiwyd eu harweinwyr.

Erbyn Gorffennaf 1933, dim ond un blaid oedd yn dal mewn bodolaeth — y Blaid Natsïaidd. Ar 14 Gorffennaf, lluniodd Hitler ddeddf a ddywedai mai'r Blaid Natsïaidd oedd yr unig blaid gyfreithlon yn yr Almaen. Roedd y ddeddf honno'n gwahardd y bobl rhag creu unrhyw blaid arall. Felly, daeth yr Almaen yn wladwriaeth un blaid.

Gwneud i bobl ufuddhau i'r drefn

Beth oedd goblygiadau hyn i bobl yr Almaen? Beth oedd canlyniadau'r broses o orfodi pobl i ufuddhau i'r drefn (o safbwynt yr unigolyn)?

Y canlyniad, i filoedd o bobl, oedd cael eu restio'n syth. Disgrifia Ffynhonnell 2 yr hyn a fyddai'n digwydd nesaf fel arfer.

Ffynhonnell 2

O bamffled a ysgrifennwyd ac a ddosbarthwyd gan grŵp o Gomiwnyddion gwaharddedig ym mis Ebrill 1933.

Gwrandewch! Darllenwch! Lledaenwch y neges! Troseddau Hitler!
Yn Berlin yn unig, llusgwyd miloedd o swyddogion Plaid y Democratiaid Cymdeithasol a phlaid y Comiwnyddion o'u gwelyau yn ystod y nos... a chawsant eu harwain i farics yr SA. Yno cawsant gweir gydag esgidiau trymion a chwip; cawsant eu curo â gwialenni dur a phastynau rwber nes llewygu a'u gwaed yn pistyllio o dan eu crwyn. Gorfodwyd llawer yn eu plith i yfed olew had castor neu wrin; torrwyd esgyrn y lleill. Cafodd swyddogion y dosbarth gweithiol eu harteithio hyd farwolaeth a lladdwyd pobl amlwg mewn modd anwaraidd drwy gyfrwng y dulliau hyn a dulliau eraill tebyg o arteithio.

Gwadodd y Natsïaid eu bod yn arteithio eu carcharorion. Gan obeithio profi eu bod yn trin eu carcharorion mewn dull dyngarol, gwahoddasant newyddiadurwyr i ymweld ag un o'u carchar-wersylloedd yn ymyl Berlin. Mae Ffynhonnell 3 yn nodweddiadol o'r lluniau a dynnwyd gan y gohebwyr.

Ffynhonnell 3

Aelodau o Blaid Ddemocrataidd Sosialaidd senedd daleithiol Prwsia yng ngharchar-wersyll Orienanen yn ymyl Berlin, yn fuan ar ôl iddynt gael eu restio ar 10 Awst 1933.

Un o'r rhai a dreuliodd gyfnod yn y carchar oedd Stefan Lorant, golygydd papur newydd. Caniataodd ei warchodwyr iddo gael papur a phensil, ac ysgrifennai'n gyson yn ei ddyddiadur tra oedd yn y carchar yn 1933. Yn ddiweddarach, ar ôl iddo gael ei ryddhau ac ar ôl iddo lwyddo i ddianc o'r Almaen, fe gyhoeddodd ei ddyddiadur. Mae'r detholiad hwn yn helpu i esbonio sut y gallai'r Natsïaid wneud i gymaint o bobl ufuddhau mor gyflym:

Ffynhonnell 4

Stefan Lorant, *I Was Hitler's Prisoner: Leaves from a Prison Diary*, 1935.

27 Mawrth 1933

Caiff carcharorion newydd eu cludo yma o fore gwyn tan nos....Ffermwr y canfuwyd dau reiffl diwerth yn ei dŷ. Gweithiwr a ddywedodd, mewn tafarn, 'Dydy Hitler ddim yn gallu ein helpu chwaith'. Arlunydd a oedd yn aelod o'r Blaid Gomiwnyddol. Ffermwr yr honnid iddo guddio ffrwydron. Dyma'r carcharorion gwleidyddol.

A'r rheswm pam eu bod yma? 'Mae rhywun wedi achwyn yn ein herbyn, dyna'r cyfan,' yw eu hateb. Yn yr Almaen newydd, bob tro y mae rhywun yn dymuno cael gwared ar gystadleuydd masnachol, talu'r pwyth i elyn neu ddial ar garwr, y cyfan y mae'n rhaid iddo ei wneud yw gwneud cyhuddiad yn erbyn unigolyn mewn llythyr dienw at yr Heddlu Gwleidyddol.

Oherwydd fod pobl yn ofni cael 'cyhuddiad' yn eu herbyn, newidiodd eu hymddygiad, gartref ac yn gyhoeddus. Mae Ffynhonnell 5 yn disgrifio un dull newydd o ymddwyn.

Ffynhonnell 5

Arnold Brecht, *The Political Education of Arnold Brecht: An Autobiography, 1884-1970*, 1970. Swyddog yn y llywodraeth oedd yr awdur. Fe gollodd ei swydd pan ddaeth y Natsïaid i rym.

Un o hoff weithgareddau carfanau o Sosialwyr Cenedlaethol oedd chwilio drwy fflatiau am ddogfennau a llyfrau ac iddynt gynnwys amheus. Ble bynnag y codai pluen o fwg yn ddirybudd o simneiau tai, codid amheuaeth fod y deiliaid wrthi'n llosgi dogfennau yno. Felly, yn lle llosgi papurau, roedd rhaid eu darnio'n fân, eu rhoi yn y toiled a thynnu'r dŵr.

Darlun tebyg a geir yn Ffynhonnell 6. Daw o lyfr a ysgrifennwyd yn ddienw gan rywun a ymadawodd â'r Almaen yn fuan wedi dechrau'r broses o 'wneud i bobl ufuddhau'.

Ffynhonnell 6

Gwyddonydd Iddewig oedd yn Almaenwr, *Why I Left Germany*, 1934.

Gallai dweud gair diofal o flaen dieithryn arwain at gael archwilio'r tŷ, erlyniad cyfreithiol, neu hyd yn oed at gael eich rhoi mewn gwersyll crynhoi...Byddai gair mewn llythyr preifat oedd yn cael ei anfon dramor neu un gair ar y teleffon yn ddigon. Câi llythyrau personol a galwadau ffôn eu harolygu'n gyson... Mewn tramiau ac ar y rheilffordd danddaearol, ym mhob lleoliad cyhoeddus yn wir, roedd yn rhaid osgoi dechrau sgwrsio â dieithriaid.

Roedd llawer o Almaenwyr yn cefnogi'r Natsïaid ac ni cheisient wrthwynebu'r ymdrechion i wneud iddynt gydymffurfio. Gwelir hynny o astudio Ffynhonnell 7, sef darn o ddyddiadur unigolyn a roddai gefnogaeth frwd i'r Natsïaid.

Ffynhonnell 7

Elizabeth von Stahlenberg, *Nazi Lady. The Diaries of Elizabeth von Stahlenberg, 1933-1948*, 1978.

Allaf i ddim deall gwleidyddiaeth! Mae hanner arweinwyr yr undebau llafur...wedi cael eu restio. Rwy'n siŵr fod rheswm digonol...Sut bynnag, bydd y gweithwyr yn cael eu gwarchod, hyd yn oed heb eu hundebau...felly, mae'n hollol naturiol i'r undebau ildio eu grym i'r llywodraeth. Er mwyn i ni ffynnu yn hyn o fyd, rhaid i ni wneud hynny fel cenedl. Fel Almaenwyr, yn anad dim.

Ffynhonnell 8

Gorfodwyd yr heddlu, hyd yn oed, i 'ufuddhau'. Yma, mae heddlu Prwsiaidd yn gorymdeithio yn Berlin yn 1933, yn cludo baneri Natsïaidd, ac yn saliwtio yn y dull Natsïaidd.

Cwestiynau

1 Mae Ffynonellau 2 a 3 yn rhoi darluniau gwahanol iawn o garcharau Natsïaidd yn 1933.
   a Pam na ellir ymddiried yn yr un o'r ddwy ffynhonnell i roi darlun hollol gywir o'r amodau yn y carchar?
   b Gan ystyried eich ateb i gwestiwn **a**, pa un o'r ddwy ffynhonnell a gredwch chi sy'n debygol o roi'r darlun cywiraf o garcharau'r Natsïaid? Esboniwch y rhesymau dros eich ateb.

2 Ysgrifennwyd Ffynonellau 4 a 5 gan bobl a ddihangodd o'r Almaen yn 1933 er mwyn ffoi rhag y Natsïaid. Ydy hynny'n amharu ar werth eu tystiolaeth ynglŷn â dull y Natsïaid o lywodraethu yn 1933? Eglurwch eich ateb.

3 Gan ddefnyddio'r ffynonellau a'r testun yn yr adran hon, disgrifiwch sut y bu i'r 'orfodaeth i gydymffurfio' yn yr Almaen yn 1933-34 newid:
   a cyfundrefn wleidyddol yr Almaen
   b bywydau'r Almaenwyr hynny nad oeddent yn cefnogi'r Natsïaid.

Noson y Cyllyll Hirion

Ffynhonnell 1
Erthygl mewn cylchgrawn Almaenig yn olrhain datblygiad lifrai'r SA, o adeg sefydlu'r SA yn 1921 hyd 1933. (Sylwer: Gwaharddwyd yr SA rhag gwisgo lifrai am gyfnod yn ystod 1932.)

Erbyn 1934 roedd Hitler wedi difa'r rhan fwyaf o'i wrthwynebwyr. Yr unig wrthwynebwyr oedd yn weddill oedd rhai aelodau o'r Blaid Natsïaidd ei hun, a rhai o blith yr SA — y Cyrchfilwyr.

Yr SA

Yr SA, yn eu crysau brown, oedd adain filwrol y Blaid Natsïaidd. Roedd yr SA, oedd yn cynnwys nifer fawr o hwliganiaid a gwŷr a ymladdai ar y stryd, wedi helpu Hitler i ennill grym drwy godi arswyd ar ei wrthwynebwyr.

Roedd nifer o aelodau'r SA yn gobeithio elwa dan reolaeth y Natsïaid. Roedd y rhai ohonynt oedd yn ddi-waith eisiau swyddi. Roedd yr arweinwyr yn awyddus i gael swyddi dylanwadol. Disgwyliai eraill i Hitler roi rhannau economaidd cynllun y Natsïaid ar waith (gw. ll. 12 Ffynhonnell 2, t.37). Roeddent yn dymuno gweld 'ail chwyldro' yn dechrau.

Roedd Ernst Röhm, arweinydd yr SA, yn sôn am gyfrifoldebau ehangach ar gyfer ei wŷr. Roedd arno eisiau cyfuno'r SA â'r fyddin barhaol, a dymunai i'r ddwy garfan gael eu rhoi dan ei ofal ef. Rhoddodd hyn fraw i Hitler. Pe bai'r ddwy fyddin yn cael eu cyfuno, yna Röhm fyddai'r gŵr mwyaf pwerus yn yr Almaen. Roedd hyn hefyd yn peri dychryn i gadfridogion y fyddin. Byddai cyfuno'r ddwy fyddin yn lleihau eu grym.

Ffynhonnell 2
Conan Fisher, *Stormtroopers: A Social, Economic and Ideological Analysis, 1929-35*, 1983.

Aelodaeth yr SA	
Awst 1929	30,000
Tachwedd 1930	60,000
Ionawr 1931	100,000
Ionawr 1932	291,000
Awst 1932	445,000
Ionawr 1933	425,000
Awst 1933	2,000,000
Ionawr 1934	3,000,000

Noson y Cyllyll Hirion

Ni allai Hitler fentro colli cefnogaeth cadfridogion y fyddin. Ni allai ychwaith fentro gadael i Röhm ennill cymaint o rym. Yn dilyn gorchymyn gan Hitler, restiwyd Röhm ac eraill o arweinwyr yr SA yn ystod noson 30 Mehefin 1934. Aethpwyd â nhw i'r carchar a'u saethu. Yn ystod yr wythnos ganlynol, llofruddiwyd cannoedd o arweinwyr eraill yr SA, ynghyd â gwrthwynebwyr posibl eraill i Hitler. Y garfan o'r SS a wisgai grysau duon oedd yn gyfrifol am y llofruddiaethau hyn.

Galwodd rhai o blith y Natsïaid y llofruddiaethau yn 'Noson y Cyllyll Hirion'. Cawsant eu galw 'y cliriad gwaed' gan eraill. Beth bynnag y'i gelwid ganddynt, roedd y digwyddiad hwn yn arwyddocaol i bawb. Roedd Hitler wedi cael gwared â'r unig wir fygythiad i'w rym. Drwy wneud hynny roedd wedi ennill cefnogaeth cadfridogion y fyddin. Roedd yn gryfach nag erioed o'r blaen.

Pam roedd yr SA yn fygythiad i Hitler?

Fyddai Hitler ddim wedi llwyddo i ennill grym heb gymorth yr SA. Felly pam y cefnodd arnyn nhw?

Roedd yr SA wedi cynorthwyo Hitler drwy arfer trais yn erbyn ei wrthwynebwyr. Ond, unwaith y dechreuodd Hitler reoli, nid oedd galw am eu dulliau treisgar bellach. Er hynny, parhaodd yr SA i ymddwyn yn dreisgar. Roedd hynny'n peri embaras i Hitler (gw. Ffynhonnell 3):

Ffynhonnell 3

Darn o lythyr a ysgrifennodd y Gweinidog Cartref, y gweinidog oedd yn gyfrifol am yr heddlu, yn Hydref 1933.

Clywyd adroddiadau ynglŷn â throseddau newydd gan yr SA droeon yn ystod yr wythnosau diwethaf. Yn anad dim, bu arweinwyr ac aelodau'r SA yn cyflawni gweithredoedd arferol yr heddlu pan nad oedd ganddynt awdurdod i wneud hynny...Bydd yn rhaid i'r troseddau ddod i ben unwaith ac am byth.

Cynyddodd y gwahaniaeth rhwng yr SA a gweddill y Blaid Natsïaidd ar ôl 1933. Yn ddiweddarach, fe esboniodd un o aelodau'r SA pam fod cymaint o wahaniaeth yn bodoli:

Ffynhonnell 4

Johannes Beck (gol.), *Terror und Hoffnung in Deutschland* ('Arswyd a Gobaith yn yr Almaen') *1933-1945*,1980.

Credem mai *ni* a greodd hynny (y llywodraeth Natsïaidd), *ni* a baratôdd y ffordd, pam na ddylem ni ddal ati?...Roedden ni'n cael hwyl am ben aelodau'r blaid yn rhedeg o gwmpas fel pethau gwyllt...ar ôl 1933 doedden ni ddim yn credu eu bod o ddifrif. Doedd y gwleidyddion, swyddogion y blaid, ddim yn boblogaidd yn ein plith. Ni oedd y *gwŷr arfog*. Ac nid oedd arnom eisiau i neb gipio'r awenau oddi arnom.

Craidd y broblem oedd uchelgais Röhm i gyfuno'r SA a'r fyddin. Cofnodwyd barn Röhm gan Natsi o'r enw Hermann Rauschning a fu'n trafod dyfodol yr SA gydag ef, pan gafodd ginio yn ei gwmni yn 1934:

Ffynhonnell 5

Hermann Rauschning, *Hitler Speaks*, 1939.

Roedd ei greithiau* yn goch gan gynnwrf. Roedd wedi gwagio nifer o wydrau gwin, fesul un, yn gyflym.

'Mae Adolf yn fochyn,' rhegodd. 'Bydd yn ein lluchio ni i gyd ar y clwt. Dim ond gyda'r adweithwyr* y mae e'n cymdeithasu nawr. Dydy ei hen ffrindiau ddim yn gwneud y tro bellach. Mae e am fod yn gyfaill i'r cadfridogion. Nhw sy'n llawiau mawr ag e nawr.'

Roedd wedi'i frifo ac yn genfigennus.

'Hen deidiau ydy'r cadfridogion. Fi ydy cnewyllyn y fyddin newydd...'

* **ei greithiau** Roedd gan Röhm greithiau ar ei wyneb wedi iddo gael ei anafu yn y Rhyfel Byd Cyntaf.

* **adweithwyr** Pobl sy'n casáu gweld pethau'n newid.

Cwestiynau

1 Pa newidiadau yn yr SA allwch chi eu gweld yn Ffynonellau 1 a 2?

2 Gan ddefnyddio'r ffotograffau ar dudalennau 54, 59 a 62, rhowch enghreifftiau o'r modd yr helpodd yr SA Hitler i ennill grym.

3 Edrychwch ar Ffynonellau 2-5. Rhowch gymaint o resymau ag y gallwch i esbonio pam y dymunai Hitler gael gwared ar Röhm ac arweinwyr eraill yr SA.

Hitler y Führer

Wythnosau'n unig ar ôl Noson y Cyllyll Hirion, cynyddodd Hitler ei rym. Pan fu farw'r Arlywydd Hindenburg, ac yntau'n 87 oed, cyfunodd Hitler swyddi'r Arlywydd a'r Canghellor, a'i benodi ei hun i'r swydd newydd honno. Ei enw newydd oedd '*Führer* a Changhellor y Reich'.

Ar y diwrnod hwnnw, sef 2 Awst 1934, fe wnaeth pob milwr ym myddin yr Almaen dyngu llw: 'Rhoddaf ufudd-dod llwyr i Adolf Hitler, *Führer* cenedl a gwerin yr Almaen....' Drwy gyfrwng y llw hwn, roedd yr unig bobl oedd â'r grym i wrthwynebu Hitler yn awr — milwyr oedd yn berchen ar ddrylliau — wedi addo tyngu llw o ufudd-dod llwyr iddo. Felly, ddeunaw mis ar ôl dod yn Ganghellor, roedd Hitler yn meddu ar y grym pennaf yn yr Almaen, a hynny yn ddiwrthwynebiad.

Ffynhonnell 1

Teulu Almaenig yn saliwtio yn y dull Almaenig. Daeth y teulu'n wreiddiol o Lithuania, ac yn ddiweddar roedden nhw wedi ymfudo i'r Almaen. Cawsant dynnu eu lluniau yn 1940, mewn seremoni lle derbynion nhw ddinasyddiaeth Almaenig.

Cwlt y Führer

Mae sawl ystyr i'r gair *'Führer'*, sef teitl Hitler. Yr ystyr pennaf yw 'arweinydd', ond gall hefyd olygu 'tywysydd', 'goruchwyliwr' a 'pheilot'.

O safbwynt nifer helaeth o Almaenwyr yr 1930au, roedd Hitler yn cyflawni'r swyddogaethau hyn i gyd. Synient amdano fel arweinydd cenedlaethol, fel lluniwr deddfau a chadlywydd, yn ogystal â phennaeth y llywodraeth. Roedd yn ŵr mor ddylanwadol nes bod y gyfraith yn nodi bod yn rhaid i holl weithwyr y sector cyhoeddus gyfarch eraill gyda'r salíwt Almaenig (gw. Ffynhonnell 1) gan ddweud 'Heil Hitler'.

Roedd mwyafrif yr Almaenwyr yn defnyddio'r 'salíwt Almaenig' ac yn dweud 'Heil Hitler', p'un a oeddent yn Natsïaid ai peidio. Gellir canfod un o'r rhesymau am hyn yn Ffynhonnell 2:

Ffynhonnell 2

O hunangofiant Comiwnydd Almaenig, Karl Billinger, *All Quiet in Germany*, 1935.

* **Crysau Brown** Enw cyffredin am yr SA, oherwydd lliw eu gwisg.

Am dri mis roeddwn i wedi llwyddo i osgoi saliwtio baner y swastica... Roedd modd osgoi gorymdeithiau a gwrthdystiadau'r SA drwy ddianc ar hyd strydoedd bychain neu i mewn i fwyty. Fe wnes i hynny unwaith yn ormod, fodd bynnag... gwelais orymdaith o nyrsys Natsïaidd yn agosáu, yn cludo baneri. Heb oedi i ystyried yr hyn yr oeddwn yn ei wneud, cefnais arnynt a cherdded y ffordd arall, ac yn fy wynebu roedd pedwar aelod o'r Crysau Brown* yn croesi tuag ataf o ochr arall y ffordd.

'Ceisio osgoi pethau?' meddai un ohonynt. 'Codwch eich braich! A beth nesaf?'

'Heil Hitler', meddwn innau.

Roeddwn yn fy ffieiddio fy hun tra cerddwn yn gyflym heibio'r orymdaith a'm braich wedi'i chodi.

Disgwylid i'r Almaenwyr ddangos eu ffyddlondeb i'r *Führer* mewn nifer o ffyrdd eraill. Mae Ffynhonnell 3 yn disgrifio rhai ohonynt:

Ffynhonnell 3

Gwyddonydd Iddewig-Almaenig, *Why I Left Germany*, 1934.

* **edelweiss** Blodyn bychan, tebyg i Lygad y Dydd, sy'n tyfu yn yr Alpau.

Ar 20 Ebrill dathlai'r Canghellor newydd ei ben-blwydd yn 44 oed...Roedd llun Hitler yn y papurau newydd, yn ffenestri'r siopau, ar y palmentydd; roedd cacennau Hitler yn y siopau teisennau, a'i hunangofiant mewn siopau llyfrau ac yn siopau'r gwerthwyr deunydd ysgrifennu. Gosodwyd gwŷr i hel arian ar gornel pob stryd. Roeddent yn gwerthu arwyddlun yr *edelweiss**.

'Cronfa ben-blwydd Hitler! Hoff flodyn yr arweinydd!'

Roedd mwyafrif y bobl ar y stryd yn gwisgo'r arwyddlun hwn yn eu llabedi.

O safbwynt rhai, roedd Cwlt y *Führer* bron â bod yn grefyddol. Dyma'r argraff a gafodd ymwelydd o'r Iseldiroedd wrth ymweld â'r Almaen yn 1934:

Ffynhonnell 4

Hendrik de Leeuw, *Sinful Cities of the Western World*, 1945.

* **Hakenkreuz** Swastica. Golyga'n llythrennol, 'croes gam'.

* **cân y Deutschland** Anthem genedlaethol yr Almaen.

Gwyliais un o wrthdystiadau Hitler ym mhrifddinas yr Almaen... Tyngodd cannoedd o filoedd o bobl lw rhyfedd Hitler a'i rhwymai am byth, fe gredent, i *Der Führer* a'r *Hakenkreuz**. Pan dawelodd yr arweinydd a phan ddechreuodd y band chwarae tiwn cân y *Deutschland**...gwelais werin wedi ei chyffroi i ferw o emosiwn. Pan ddaeth y gerddoriaeth i ben... siaradodd yr arweinydd eto – 'A dyma'r llw yn awr. Ailadroddwch ef gyda mi, "Tyngaf y byddaf yn ffyddlon i Adolf Hitler, ein *Führer*, a thyngaf y byddaf yn ufuddhau iddo."' Ac yna, tyngodd pawb y llw gyda difrifoldeb mawr.

Yn ôl Ffynhonnell 5, roedd cwlt Hitler yn effeithio ar anifeiliaid hefyd. Rhan ydyw o erthygl a ymddangosodd mewn papur newydd Natsïaidd. Disgrifia'r hyn a ddigwyddodd pan oedd athrawes yn ymweld â chartref y Farwnes Freytag-Loringhoven, oedd yn berchen ar gi oedd yn medru siarad.

Ffynhonnell 5

Schwarzes Korps (papur newydd yr SS Natsïaidd), 31 Gorffennaf 1935.

> Anogodd y Farwnes i'm gŵr ofyn cwestiwn anodd i'r ci. Gofynnodd fy ngŵr, 'Pwy ydy Adolf Hitler?' Roeddem dan deimlad mawr pan glywson y ci'n ateb 'Fy *Führer*'.
>
> Pan adroddodd yr athrawes yr hanes wrth ddosbarth o ddisgyblion Natsïaidd, bloeddiodd un aelod o'r dosbarth, 'Mae hyn yn ddi-chwaeth iawn. Rydych yn camddefnyddio enw'r *Führer*.'
>
> Atebodd yr athrawes fel hyn, 'Mae'r anifail deallus hwn yn gwybod bod Hitler wedi pasio deddfau yn erbyn bywddyraniad* ...ac mewn diolchgarwch mae ei ymennydd cïol bychan yn cydnabod mai Hitler ydy ei *Führer*.'

* **bywddyraniad** Arbrofi ar anifeiliaid byw.

Yn olaf, er mwyn sicrhau bod cwlt Hitler yn cyrraedd pob rhan o'r wlad, cynhyrchwyd portreadau swyddogol o Hitler ar raddfa eang yn 1936. Gosodwyd nhw ar waliau mewn ystafelloedd dosbarth, yn swyddfeydd y llywodraeth ac mewn amrywiol fannau cyhoeddus eraill. Mae Ffynhonnell 6 yn enghraifft nodweddiadol o'r darluniau hyn.

Ffynhonnell 6

Tynnwyd y llun hwn yn y mosg yn Berlin ym mis Ionawr 1939. Mae clerigwr Moslemaidd yn dathlu diwedd Ramadán. Y tu ôl iddo mae darlun swyddogol o Hitler. Ar y dde iddo mae baner y swastica.

Cwestiynau

1. Mae Ffynonellau 1-6 yn dangos agweddau ar 'gwlt Hitler'.
   - **a** Beth yw ystyr y gair 'cwlt'?
   - **b** Nodwch o leiaf dair enghraifft o'r dulliau a ddefnyddiwyd i greu 'cwlt Hitler' a grybwyllir yn y ffynonellau hyn.
   - **c** Beth a dybiwch chi oedd diben 'cwlt Hitler'?
2. Ailddarllenwch Ffynhonnell 5.
   - **a** Tybiwch am funud fod y ci yn medru siarad go-iawn. Yn eich barn chi, pam y dysgodd y Farwnes ef i ddweud 'Fy *Führer*'?
   - **b** Dydy cŵn ddim yn gallu siarad, felly nid yw'r stori hon yn hollol wir. Ydy hyn yn effeithio ar werth y stori fel tystiolaeth ynglŷn â 'chwlt Hitler'? Esboniwch eich ateb.

Adolygu Uned 5

Trefn lywodraethol yr Almaen ar ôl 1934

Cwestiynau

1 Ar gopi o'r diagram uchod, gosodwch y disgrifiadau a ganlyn yn y blychau cywir:

Pawb dros 20 oed â'r hawl i bleidleisio mewn:
- etholiadau un-blaid ar gyfer y Reichstag
- pleidleisiau gwlad, a drefnwyd yn ôl dymuniad y *Führer*, er mwyn dangos a gytunant â'i benderfyniadau.

Â'r hawl i
- lunio deddfau
- galw cynulliad y Reichstag a'i ddwyn i ben
- penodi a diswyddo gweinidogion, swyddogion y fyddin, arweinwyr taleithiau, swyddogion y blaid a'r llywodraeth
- llunio polisi tramor, cyhoeddi rhyfel a heddwch.

18 o arweinyddion Natsïaidd yn cael eu penodi gan y *Führer:*
- grym cyflawn dros lywodraethau'r taleithiau a'r holl swyddogion lleol
- dan reolaeth y Gweinidog Cartref.

Gweinidogion a benodir gan y *Führer*: maent yn rhoi ei benderfyniadau ar waith.

600 o ddirprwyon yn cynrychioli'r Blaid Natsïaidd. Caniateir iddynt drafod deddfau newydd ond ni chânt bleidleisio yn eu herbyn.

2 Cysylltwch y blychau â'i gilydd gyda saethau (fel yn y diagram ar dudalen 18) i ddangos y cysylltiad rhyngddynt.

3 Cymharwch y diagram a gwblhawyd gennych â'r diagram ar dudalen 18. Yna, mewn dwy golofn ar ddarn arall o bapur:

a rhestrwch y tebygrwydd rhwng y ddwy system lywodraethu

b rhestrwch y gwahaniaethau rhwng y ddwy system lywodraethu.

4 Yn ôl tystiolaeth eich rhestr, sut y dinistriodd Hitler drefn ddemocrataidd Gweriniaeth Weimar?

Uned 6 . Dibenion unbennaeth: bywyd yn yr Almaen Natsïaidd (1)

Tri nod sylfaenol oedd gan Hitler. Ei nod cyntaf oedd cael trefn ar economi'r Almaen. Ei ail nod oedd gwneud yr Almaen yn genedl bwerus unwaith eto. A'i drydydd nod oedd creu 'Almaen bur' drwy gael gwared ar grwpiau lleiafrifol, yn enwedig Iddewon.

Oherwydd yr ymgais i gyrraedd y tri nod hyn, newidiwyd bywydau miliynau o bobl. Y bobl a deimlodd y newidiadau mwyaf oedd y 600,000 o Iddewon oedd yn byw yn yr Almaen. Fe gollon nhw eu hawliau, colli eu swyddi, a'u trin fel 'cenedl israddol'. Daeth newid mawr hefyd i ran y miliynau o bobl ddi-waith a gafodd eu gorfodi i weithio ar gynlluniau gwaith a hynny'n aml mewn gwersylloedd gwaith.

Er mwyn cyflawni'r nodau hyn yn gyflym, mynnai Hitler fod pobl yr Almaen yn hollol ufudd iddo. Felly roedd pawb yn teimlo eu bod yn cael eu rheoli fwyfwy gan awdurdodau'r wladwriaeth — y Blaid, yr heddlu a'r llywodraeth.

Mae'r Uned hon yn edrych ar y ffordd roedd yr holl ddatblygiadau yn effeithio ar fywydau pobl. Efallai y byddwch yn teimlo bod rhai o'r newidiadau er gwell. Ond ar ôl i chi orffen darllen, efallai y bydd gennych resymau dros feddwl mai newidiadau er gwaeth oedd llawer ohonynt.

Enghraifft drawiadol o bŵer a rheolaeth y Natsïaid: 100,000 o ddynion yn gorymdeithio heibio i Hitler yn rali Nuremberg, 1937. Maent yn cludo 32,000 o faneri. Uwch eu pennau mae 150 o lifoleuadau yn creu 'cadeirlan o oleuni'.

Gwaith a bara

Roedd o leiaf chwe miliwn o Almaenwyr yn ddi-waith pan ddaeth Hitler i rym. Roedd e wedi addo 'gwaith a bara' i'r bobl hyn yn ymgyrchoedd etholiadol 1932-33. Un o'i flaenoriaethau'n awr oedd rhoi gwaith iddynt.

Y Gwasanaeth Llafur Cenedlaethol

Yn ffodus i Hitler, roedd nifer o gynlluniau creu gwaith wedi eu dechrau gan lywodraethau blaenorol. Un ohonynt oedd y Gwasanaeth Llafur Cenedlaethol (*Reichsarbeitsdienst*, neu RAD). Drwy'r cynllun hwn câi dynion ifanc waith gyda chynlluniau lle roedd angen llawer o waith corfforol, megis plannu coedwigoedd newydd neu agor ffosydd ar ffermydd (gw. Ffynhonnell 1).

Ffynhonnell 1
Dynion yn y Gwasanaeth Llafur Cenedlaethol yn clirio ffos ar fferm yn 1934.

Yn fuan ar ôl i Hitler ddod i rym, fe gymerodd reolaeth ar y Gwasanaeth Llafur a'i ehangu. Bu'n rhaid i'r dynion yn y Gwasanaeth wisgo iwnifform. Yna bu'n rhaid iddynt fynd i wersylloedd gwaith. Yno roedden nhw'n cael arian poced yn hytrach na chyflogau, ac roedd rhaid iddynt wneud ymarferion milwrol yn ogystal â gweithio. Yn 1933, lluniwyd Deddf Gwasanaeth Llafur y Reich a ddywedai fod rhaid i bob dyn rhwng 18 a 25 oed dreulio chwe mis yn y Gwasanaeth Llafur. Gan fod cannoedd o filoedd o Almaenwyr ifanc yn mynd i'r gwersylloedd gwaith, bu gostyngiad sydyn yn ffigurau'r di-waith.

Cynlluniau gwaith cyhoeddus

Roedd y llywodraeth flaenorol yn gyfrifol hefyd am raglen adeiladu ffyrdd, a phenderfynodd y Natsïaid ddal ati â'r rhaglen honno. Ym Mehefin 1933 fe basiwyd deddf i ehangu'r rhaglen drwy greu rhwydwaith o draffyrdd. Rhoddodd hynny waith i 80,000 a rhagor dros y pum mlynedd ganlynol. Ar yr un pryd, o ganlyniad i'r Ddeddf Gostwng Diweithdra, cafwyd grantiau gan y llywodraeth i godi tai newydd ynghyd ag ysgolion, ysbytai a gwasanaethau cyhoeddus eraill. Er mwyn sicrhau bod hynny'n creu gwaith i gynifer o bobl ag oedd bosibl, dywedai'r ddeddf honno fod rhaid i bob adeilad o'r fath fod yn waith llaw.

Ailarfogi

Un arall o flaenoriaethau Hitler ar ôl iddo gipio grym oedd datblygu lluoedd arfog yr Almaen (gw. t.86). Cafodd hynny effaith fawr ar ffigurau diweithdra. O 1935 ymlaen, roedd rhaid i bobl rhwng 18 a 25 oed gyflawni gwasanaeth milwrol am ddwy flynedd. O ganlyniad, fe dyfodd y lluoedd arfog o 100,000 yn 1933 i 1,400,000 yn 1939, gan ddileu enwau miliwn o bobl oddi ar gofrestri'r di-waith.

Pa mor llwyddiannus oedd polisïau gwaith y Natsïaid?

Mae Ffynhonnell 2 yn dangos bod Hitler wedi llwyddo i roi gwaith i lawer o'r bobl a fu'n ddi-waith. Ond nid yw'r ffigurau'n dweud wrthym pa fath o waith a roddodd iddynt. Mae Ffynonellau 3-5 yn dangos darlun tra gwahanol.

Ffynhonnell 2
Diweithdra yn yr Almaen, 1933-39, *International Labour Review*, Swyddfa Lafur Genedlaethol, Genefa, 1933-39.

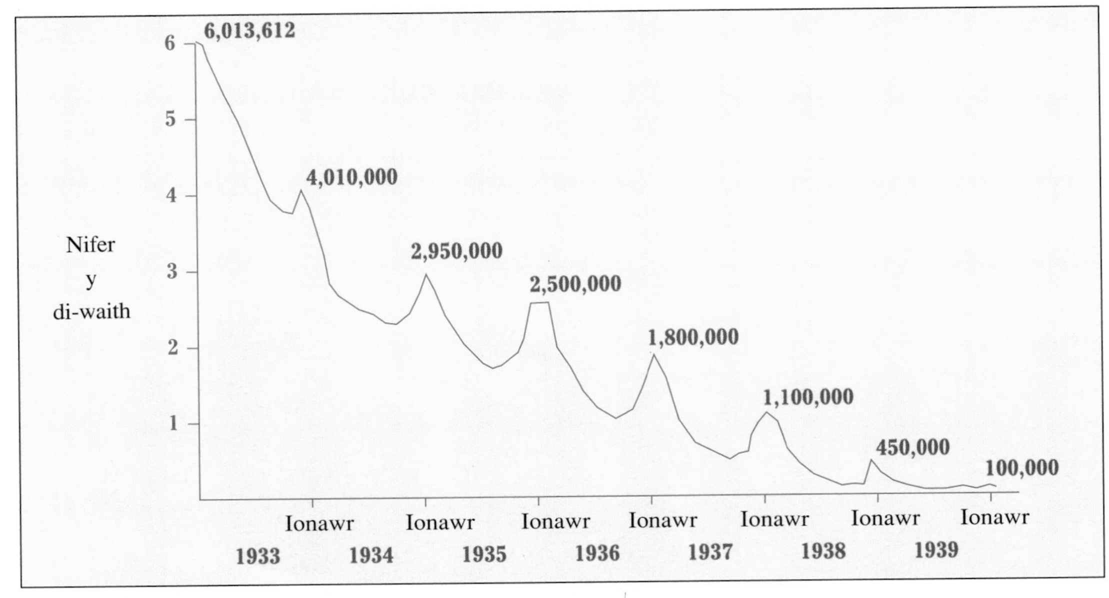

Ffynhonnell 3
SOPADE-Berichte ('Adroddiadau'r Blaid Sosialaidd Ddemocrataidd Alltud'), 1938, sef casgliad o adroddiadau gan asiantau'r Democratiaid Sosialaidd gwaharddedig, o'u halltudiaeth yn Tsiecoslofacia.

* **dril** Gw. Ffynhonnell 5.
* **Pf** Pfennig, neu geiniog. Roedd 25 Pf tua 40 ceiniog heddiw.

Sacsoni, Ebrill/Mai 1938: Dyma drefn y gwersyll llafur yn Beiersfeld/Erzebirge: 4.45 a.m. codi. 4.50 ymarfer corff. 5.15 ymolchi, cyweirio'r gwely. 5.30 coffi. 5.50 parêd. 6.00 ymdeithio i'r safle adeiladu. Gweithio tan 14.30 gyda 30 munud o egwyl i gael brecwast. 15.00 cinio bach. 15.30-18.00 dril*. 18.10-18.45 cyfarwyddiadau. 18.45-19.15 glanhau a thrwsio. 19.15 parêd. 19.30 cyhoeddiadau. 19.45 swper. 20.00-21.30 canu neu weithgareddau hamdden eraill. 22.00 diffodd y goleuadau. Felly mae'r diwrnod yn llawn dyletswyddau... Y cyflog yw 25 Pf* y dydd.

Roedd y rhai a adeiladai ffyrdd yn derbyn gwell cyflog na'r rhai a weithiai yn y Gwasanaeth Llafur. Ond, fel y dengys Ffynhonnell 4, nid oedd y gweithwyr ffyrdd chwaith yn cael bywyd hawdd. Rhoddwyd y disgrifiad gan newyddiadurwr Almaenig a deithiai ar drên yn 1936 pan oedd yn 15 oed. Eisteddai dau o weithwyr ffyrdd gyferbyn ag ef, a sonient wrth deithiwr arall am eu gwaith.

Ffynhonnell 4
Bernt Engelmann, *In Hitler's Germany: Everyday Life in the Third Reich*, 1988.

Rydyn ni'n gweithio yn yr awyr agored ym mhob tywydd, yn rhawio baw am 51 Pfennig yr awr. Mae rhan o'r cyflog yn mynd ar ddidyniadau (deductions) a chyfraniadau gwirfoddol, ac mae matras o wellt mewn barics pren drafftlyd yn costio 15 Pfennig. Ac mae'n rhaid inni wario 35 Pfennig am fwyd slop diflas i ginio.

Cefais fy hyfforddi'n argraffydd (meddai'r ail weithiwr). Yn haf '33 fe gollais fy ngwaith. Bûm yn byw ar y dôl tan wanwyn '34 — ac roedd hynny'n llawer gwell na'r hyn rwy'n ei wneud nawr. O leia roeddwn i garte gyda 'nheulu, a gallwn wneud mân orchwylion neu weithio yn yr ardd. Nawr rwy'n gwneud gwasanaeth gorfodol gyda deng niwrnod o wyliau'r flwyddyn...

Ffynhonnell 5

Dynion ifanc yn y Gwasanaeth Llafur Cenedlaethol yn gwneud ymarferion milwrol yn 1935.

Erbyn 1939, fel y dengys Ffynhonnell 2, ychydig o Almaenwyr oedd yn ddi-waith. Mewn sawl diwydiant roedd yna brinder llafur hyd yn oed. Ond fe ddeliodd y Natsïaid â'r broblem newydd hon gyda mesurau mwy llym fyth. Roedden nhw'n cyhuddo unrhyw un a oedd yn parhau'n ddi-waith o hyd o fod yn 'ddiog'. Yn un o adroddiadau'r SS cafwyd disgrifiad o ymgyrch yn 1937-38 yn erbyn y bobl 'ddiog'.

Ffynhonnell 6

Dogfen Nuremberg RHIF 5591. Roedd Dogfennau Nuremberg yn cynnwys tystiolaeth a ddefnyddiwyd ym mhrawf yr arweinwyr Natsïaidd ar ôl yr Ail Ryfel Byd.

Bu'n rhaid i grwydriaid, cardotwyr a sipsiwn...fynd gyda'r heddlu, ac yna cafodd y rhai a oedd yn mynnu gwrthod ennill eu bywoliaeth eu restio. Mae yna ymhell dros 10,000 o bobl anghymdeithasol (*asocials*)* ar hyn o bryd yn profi diet o hyfforddiant gwaith mewn gwersylloedd crynhoi.

* **pobl anghymdeithasol (*asocials*)** Term Natsïaidd yn disgrifio pobl nad oeddent yn 'cymryd eu lle' yn y gymdeithas.

Cwestiynau

1 **a** Astudiwch Ffynhonnell 2. Disgrifiwch yn fyr sut y newidiodd y ffigurau diweithdra rhwng Ionawr 1933 a Rhagfyr 1939.
b Ym mha flwyddyn y cafwyd y gostyngiad mwyaf mewn diweithdra?
c Yn ôl y wybodaeth ar dudalen 73, beth a achosodd y gostyngiad hwn?
ch Cymharwch Ffynhonnell 2 â'r graff ar dudalen 46. Faint o amser a gymerwyd ar ôl Ionawr 1933 i ddiweithdra ostwng i lefel gyfartalog diweithdra cyn y Dirwasgiad?

2 Edrychwch ar Ffynonellau 3, 4 a 5 ar dudalen 48. Maent yn disgrifio bywydau pobl ddi-waith yn y Dirwasgiad. Beth, tybed, oedd barn y bobl hyn am y gwersyll llafur a ddisgrifir yn Ffynhonnell 3?

3 **a** Pam roedd y gweithwyr yn Ffynhonnell 4 yn cwyno am eu gwaith?
b Pam roedd eu gwaith yn well, efallai, na'r gwaith yn Ffynhonnell 3?

4 Dywedodd Hitler, 'A lwyddon ni i ddarparu gwaith? — gyda'r llinyn mesur hwnnw y bydd Hanes yn ein barnu.' Yn ôl y ffynonellau a'r wybodaeth yn yr adran hon, a wnaeth e lwyddo i ddarparu gwaith? Esboniwch eich ateb.

Hiliaeth

Gwelsom fod Hitler a'r Natsïaid yn credu bod pobl yr Almaen yn *Volk*, neu'n hil arbennig. Credent fod yr Almaenwyr yn wahanol i hilion eraill ac yn well na nhw. Roedden nhw am gadw yr hyn a alwent yn 'burdeb' yr hil Almaenig drwy gyfyngu ar weithgareddau hilion eraill. Ac roedden nhw'n awyddus dros ben i gyfyngu ar weithgareddau'r Iddewon.

Iddewon yr Almaen

Roedd Iddewon wedi byw yn yr Almaen am dros fil o flynyddoedd. Roedd eu gwreiddiau yn y Dwyrain Canol. Roeddent wedi ymsefydlu yn Ewrop ar ôl iddynt gael eu hel allan o'u mamwlad amser maith yn ôl. Dros y canrifoedd, roedd cannoedd o filoedd o Iddewon wedi ymuno â phob haen yng nghymdeithas yr Almaen. Siopwyr, masnachwyr, bancwyr a phobl fusnes oedd llawer iawn ohonynt. Roedd llawer ohonynt yn feddygon, cyfreithwyr, llenorion ac artistiaid.

Ble bynnag roedden nhw'n dewis byw, caent eu cam-drin. Mewn rhai lleoedd doedden nhw ddim yn cael yr hawl i berchenogi tir. Mewn lleoedd eraill roedd rhaid iddynt fyw mewn rhan arbennig o'r dref, sef y 'geto'. Weithiau roedd rhaid iddynt dalu trethi arbennig neu wisgo dillad arbennig. Ac o bryd i'w gilydd roeddent yn dioddef ymosodiadau a llofruddiaethau pan gâi llawer iawn ohonynt eu lladd mewn 'pogrom'.

Yr enw am gam-drin Iddewon yw gwrth-Semitiaeth. Daeth yn un o brif nodweddion yr Almaen Natsïaidd.

Ymosod ar Iddewon

Yn syth ar ôl i'r Natsïaid ddod i rym, aethant ati i ymosod ar Iddewon. Yn Ebrill 1933 fe drefnodd yr SA foicot yn erbyn pob siop, caffi a busnes oedd yn eiddo i Iddewon. Safent y tu allan i'r lleoedd hynny gan annog pobl i beidio â mynd i mewn iddynt. Peintient y gair *Jude* (Iddew) ar y ffenestri (gw. Ffynhonnell 1), a churent bobl a geisiai fynd i mewn.

Ffynhonnell 1

Cyrchfilwr Natsïaidd yn peintio'r gair *Jude* (Iddew) a 'seren Dafydd' ar ffenestr siop yn Ebrill 1933.

Wythnos yn ddiweddarach, rhoddodd Hitler orchymyn i ddiswyddo pawb nad oedd o linach 'Aryaidd' (Almaenig) o swyddi gyda'r llywodraeth. Ar unwaith fe ddiswyddwyd miloedd o Iddewon.

Yn ystod haf 1933 rhoddwyd posteri y tu allan i siopau, etc. Y neges ar y posteri oedd 'Nid oes arnom eisiau Iddewon' neu 'Iddewon yn waharddedig' (gw. Ffynhonnell 2).

Y Natsïaid a reolai'r wasg, ac roedd y papurau newydd yn rhoi lle i ymgyrchoedd llawn casineb yn erbyn yr Iddewon. Cafodd athrawon Iddewig eu diswyddo gan awdurdodau addysg Natsïaidd. Ni châi actorion a cherddorion Iddewig berfformio'n gyhoeddus.

Deddfau Nuremberg

Yn 1935 cafodd gwrth-Semitiaeth fwy o gymorth pan ddaeth dwy ddeddf newydd i rym. O ganlyniad i Ddeddfau Nuremberg, 15 Medi 1935, cafodd Iddewon eu gwahardd rhag bod yn ddinasyddion Almaenig. Dros y pum mlynedd ganlynol, fe gollodd yr Iddewon bob hawl arall (gw. Ffynhonnell 3).

Krystallnacht

Ceisiodd Iddewon mewn sawl man wrthwynebu'r Natsïaid. Canlyniad hynny'n aml fu triniaeth waeth. Yn Nhachwedd 1938 cafodd uwchswyddog Natsïaidd ei saethu a'i ladd gan Iddew. Mynnodd yr SA ddial drwy gyfrwng ymgyrch braw yn erbyn yr Iddewon i gyd. Dechreuodd yr ymgyrch ar 10 Tachwedd gyda '*Krystallnacht*'. Torrwyd ffenestri 10,000 o siopwyr Iddewig a lladratawyd eu heiddo. Yn ystod yr ymgyrch, llofruddiwyd 91 o Iddewon a chafodd 20,000 ohonynt eu rhoi mewn gwersylloedd crynhoi*. Llosgwyd tua 200 o synagogau (addoldai Iddewig). Ar 12 Tachwedd, cafodd yr Iddewon orchymyn i dalu dirwy o un biliwn o farciau i'r llywodraeth.

* **gwersylloedd crynhoi** (concentration camps) Gwersylloedd carchar a ddefnyddid i garcharu a lladd gwrthwynebwyr y Natsïaid yn ogystal ag 'estroniaid annymunol' oherwydd eu hil neu eu dosbarth.

Ffynhonnell 2

Dywed y faner hon uwchben ffordd sy'n arwain i mewn i bentref yn Bafaria, 'Does dim angen Iddewon yma'.

Pam roedd hiliaeth mor amlwg yn yr Almaen Natsïaidd?

Gwlad wâr oedd yr Almaen, a doedd pawb ddim yn Natsi. Sut, felly, roedd hi'n bosibl i bethau mor ofnadwy ddigwydd? Ar bwy roedd y bai?

Edrychwn yn gyntaf ar y rhan a chwaraeodd llywodraeth Hitler. Rhwng 1933 ac 1945 bu'r llywodraeth honno'n gyfrifol am gynifer â 45 o ddyfarniadau a deddfau yn erbyn yr Iddewon. Yn Ffynhonnell 3 ceir dyfyniadau o'r deddfau, ac yn Ffynhonnell 4 gwelir rhai o'r dulliau a ddefnyddid i weithredu'r deddfau:

Ffynhonnell 3

Reichsgesetzblatt ('Newyddiadur Deddfau'r Reich'), 1933-41.

A Deddf y Reich ar Ddinasyddiaeth, 15 Medi 1935
Y mae dinesydd y Reich yn ddeiliad o waedoliaeth Almaenig sy'n dangos drwy ei ymddygiad fod arno eisiau rhoi ei wasanaeth ffyddlon i bobl yr Almaen a'r Reich, a'i fod yn abl i wneud hynny.

B Deddf er Amddiffyn Gwaed ac Anrhydedd Almaenig, 15 Medi 1935
1 Gwaherddir priodasau rhwng Iddewon a dinasyddion Almaenig neu ddinasyddion o waedoliaeth berthynol...
2 Gwaherddir perthynas rywiol y tu allan i briodas rhwng Iddewon a dinasyddion Almaenig neu rai o waedoliaeth berthynol...

C Dyfarniad Ynghylch Newid Enwau Teuluol, 17 Awst 1938
Dim ond rhai enwau cyntaf a ganiateir i Iddewon... Rhaid i Iddewon gydag enwau cyntaf gwahanol i'r rhai a restrir gofrestru a defnyddio fel llofnod yr enw cyntaf 'Israel' (i ddynion) a 'Sara' (i ferched) yn ychwanegol at eu henwau cyntaf eu hunain.

CH Dyfarniad i Ddileu Iddewon o Fywyd Economaidd, 12 Tachwedd 1938
O Ionawr 1939 ymlaen, gwaherddir i Iddewon berchenogi siopau,... cymryd rhan annibynnol mewn unrhyw fasnach, na chynnig gwerthu, hysbysebu, na derbyn archebion am nwyddau na chynnig gwasanaeth mewn marchnadoedd, ffeiriau nac arddangosfeydd.

D Dyfarniad gan Weinidog Addysg y Reich, 16 Tachwedd 1938
Ni chaniateir i Iddewon fynychu ysgolion Almaenig. Ysgolion Iddewig yn unig sy'n agored iddynt. Rhaid diarddel ar unwaith unrhyw fyfyrwyr Iddewig na chafodd eu diarddel eisoes.

DD Dyfarniad gan Heddlu Berlin, 3 Rhagfyr 1938
Gwaherddir Iddewon rhag mynychu...theatrau, sioeau, cyngherddau a neuaddau darlithio, amgueddfeydd, lleoedd adloniant, caeau chwarae, pyllau nofio cyhoeddus a phreifat, a nifer o strydoedd amlwg yn Berlin...

E Dyfarniad Ynghylch Bathodynnau Adnabod ar gyfer Iddewon, 1 Medi 1941
Rhaid i Iddewon dros chwe blwydd oed wisgo 'Seren Dafydd' mewn mannau cyhoeddus. Seren chwe phwynt ddu ar ddeunydd melyn yw 'Seren Dafydd'. Maint cledr llaw yw hi, ac arni ceir yr enw 'Iddew'.

Ffynhonnell 4

Roedd rhaid i bob Almaenwr ac Almaenes gludo cerdyn adnabod. Edith Baum, 17 oed, oedd perchennog y cerdyn hwn. Dangosai'r llythyren J (am *Juden*) wedi'i stampio ar y dudalen gyntaf mai Iddewes oedd hi. Hefyd roedd yr enw 'Sara' ar ôl ei henw hi yn rhoi yr un wybodaeth.

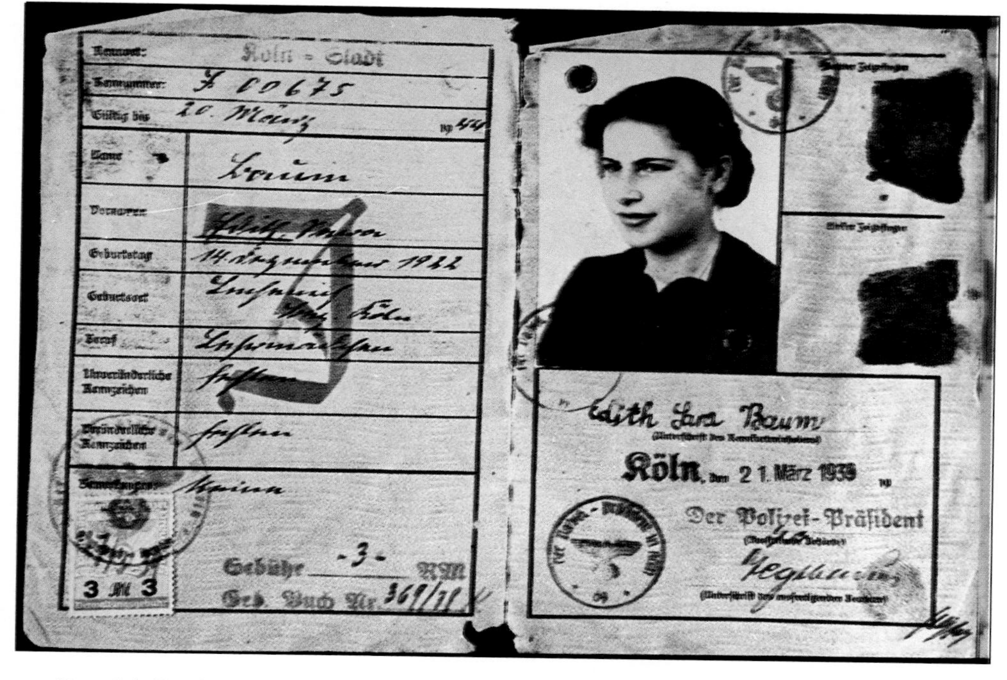

Kennort: Köln - Stadt
Kennummer: J 00675
Gültig bis: 20. März 1944
Name: Baum
Vornamen: Edith Sara
Geburtstag: 14. Dezember 1922
Geburtsort:
Beruf:
Unveränderliche Kennzeichen: fehlen
Veränderliche Kennzeichen: fehlen
Bemerkungen:
Gebühr -3- RM
3 RM 3

Edith Sara Baum
Köln, den 21. März 1939
Der Polizei-Präsident

Roedd llunio deddfau yn erbyn yr Iddewon yn un ffordd o'u gorthrymu. Ceisiodd y Natsïaid hefyd newid ymddygiad pobl tuag at yr Iddewon. Câi pobl ifanc, yn arbennig, eu hannog i gasáu Iddewon. Yn y gwersi a'r gwerslyfrau roedd gwrth-Semitiaeth yn amlwg. Yn Ffynhonnell 5, ceir tystiolaeth Iddewes a ddihangodd o'r Almaen i fyw yn UDA. Mae hi'n sôn am Ada, merch ei ffrind:

Ffynhonnell 5

Alice Salomon, *Character is Destiny*, casgliad diddyddiad o atgofion a gedwir yn Sefydliad Leo Baeck, Efrog Newydd.

Un diwrnod fe ddaeth hi adref wedi'i chywilyddio. 'Diwrnod gwael heddiw.' Beth oedd wedi digwydd? Roedd yr athro wedi anfon y plant Aryaidd i un ochr o'r dosbarth, a'r plant nad oeddent yn Aryaid i'r ochr arall. Yna cafodd yr Aryaid eu cyfarwyddo gan yr athro i astudio golygon y lleill a phwyntio at nodweddion eu hil Iddewig. Safent fel pe baent wedi'u gwahanu gan agendor, plant a fu'n chwarae fel cyfeillion y diwrnod cynt.

Câi gwerslyfrau'r ysgolion a'r deunyddiau dysgu eu rheoli gan Weinyddiaeth Addysg y llywodraeth. Gallai'r llywodraeth, felly, roi deunydd gwrth-Semitaidd ym mhob dosbarth yn yr Almaen. Yn Ffynonellau 6 a 7 ceir enghreifftiau o ddeunyddiau o'r fath.

Ffynhonnell 6

Ymarfer gwaith cartref o ysgol Almaenig yn 1942. Dyfynnir yn Carl Scheunes, *The Twisted Road to Auschwitz*, 1970.

1 Mae'r hil Iddewig yn llawer mwy israddol na'r hil Negroaidd.
2 Mae gan yr Iddewon i gyd goesau cam, boliau mawr, gwallt crych, a gellir dweud wrth eu golwg na ellir dibynnu arnynt.
3 Yr Iddewon oedd yn gyfrifol am y Rhyfel Byd Cyntaf.
4 Nhw sydd i'w beio am gadoediad 1918 a Chytundeb Versailles.
5 Nhw a achosodd y Chwyddiant*.
6 Nhw a achosodd gwymp yr Ymerodraeth Rufeinig.
7 Troseddwr mawr yw Marx*.
8 Comiwnyddion yw'r Iddewon i gyd.
9 Nhw sy'n llywodraethu Rwsia.

* **y Chwyddiant** Gorchwyddiant 1923.
* **Marx** Awdur Maniffesto'r Comiwnyddion.

Ffynhonnell 7

Tudalen o lyfr plant a gyhoeddwyd gan y Blaid Natsïaidd, dan y teitl *Peidiwch ag Ymddiried yn Unrhyw Lwynog nac Unrhyw Iddew*. Mae'n cymharu'r dyn Aryaidd (chwith) 'sy'n gallu gweithio ac ymladd' â'r Iddew (de) a ddisgrifir fel 'y cnaf mwyaf yn y Reich i gyd'.

Câi llawer o bropaganda gwrth-Semitaidd ei anelu at oedolion yn ogystal â phlant.

Ffynhonnell 8

Racial Research Weekly, y dyddiad yn anhysbys.

Rhaid i'r arwr Aryaidd fod yn ddyfal bob amser i amddiffyn yr hil Aryaidd a lles y fenyw. Mynnwn mai'r unig briod addas i aelod o'r hil aruchel hon yw benyw â gwallt golau, llygaid glas, wyneb hirgrwn, gruddiau cochion a thrwyn tenau. Mynnwn ei fod yn priodi morwyn. Gwaherddir i ddyn Aryaidd â gwallt golau a llygaid glas briodi merch Aryaidd dywyll ei chroen.

Dim ond cam bychan oedd yna rhwng darllen mewn cylchgronau am 'amddiffyn yr hil Aryaidd' a gwneud hynny mewn gwirionedd. Mae Ffynonellau 9 a 10 yn dangos rhai o'r canlyniadau.

Ffynhonnell 9

Martha Dodd, *My Years in Germany*, 1939. Roedd Martha Dodd yn ferch i Lysgennad UDA yn yr Almaen.

Wrth i ni ddod allan o'r gwesty gwelsom dorf yn ymgasglu...yng nghanol y stryd. Fe safon ni i weld beth oedd yn digwydd. O dram yng nghanol y stryd roedd merch ifanc yn cael ei gwthio mewn modd creulon... Roedd golwg ofnadwy arni. Roedd ei gwallt wedi'i eillio a gwisgai arwydd ar draws ei bron...Dywedai'r arwydd: 'Cynigais fy hun i Iddew.'

Ffynhonnell 10

Tynnwyd y llun hwn yng Ngorffennaf 1933. Mae Cyrchfilwyr Natsïaidd wedi restio merch a'i phartner sy'n Iddew. Dywed yr arwydd a osodwyd arni hi, 'Fi yw'r mochyn mwyaf. Dim ond gydag Iddewon y byddaf yn cysgu!' Dywed arwydd y dyn, 'Rwy'n fachgen o Iddew sy bob amser yn dod â merched Almaenig i'm hystafell.'

Cwestiynau

1 Astudiwch Ffynhonnell 3 (deddfau A a B).
   a Beth yw ystyr bod yn 'ddinesydd' yn eich gwlad?
   b Beth a fyddech yn ei golli pe baech yn cael eich amddifadu o fod yn ddinesydd?

2 Disgrifiwch sut y cafodd bywyd Iddew ei newid gan ddeddfau C-E.

3 Pa ddeddfau, o blith y rhai A-E, a allai fod wedi ei gwneud hi'n haws i rai pobl gam-drin Iddewon? Esboniwch eich ateb.

4 Astudiwch Ffynonellau 5, 6 a 7. Esboniwch beth fyddai effeithiau tebygol deunyddiau o'r fath ar blant ysgol.

5 Yn eich barn chi, pa mor debygol oedd hi y byddai oedolion yn cael eu heffeithio gan olygfeydd fel y rhai yn Ffynonellau 1 a 2, a chan gylchgronau megis Ffynhonnell 8?

6 Edrychwch yn ôl ar eich atebion i gwestiynau 1-5. Yn eich barn chi, i ba raddau y dylid beio
   a Almaenwyr unigol
   b y llywodraeth Natsïaidd
   am gam-drin Iddewon yn yr Almaen rhwng 1933 ac 1939?

Rheoli

Roedd unbennaeth yn galluogi'r Natsïaid i reoli bywydau pobl. Y mwyaf o reolaeth a oedd ganddynt, hawsaf yn y byd oedd hi iddynt gyflawni eu hamcanion. Felly daeth rheoli pobl yn un o brif dasgau'r wladwriaeth Natsïaidd. Gwneid hynny gan ddau gorff: y Blaid Natsïaidd a'r heddlu.

Yr heddlu'n rheoli

Yr SS a drefnai rwydwaith heddlu'r Natsïaid. Adain o'r SA oedd yr SS. Ar y dechrau, nhw oedd gwarchodlu Hitler. Dan arweiniad Heinrich Himmler, cynorthwywyd Hitler gan yr SS i gael gwared ar arweinwyr yr SA ar Noson y Cyllyll Hirion. Yn wobr, rhoddodd Hitler yr hawl iddynt fod yn annibynnol. Ddwy flynedd yn ddiweddarach daeth Himmler yn bennaeth ar holl rwydwaith yr heddlu. Mae Ffynhonnell 1 yn dangos sut y câi'r rhwydwaith ei reoli erbyn 1939.

Y blaid yn rheoli

Erbyn 1938 roedd gan y Blaid Natsïaidd bum miliwn o aelodau a thros hanner miliwn o swyddogion. Gallai'r blaid reoli pob dinesydd. Mae Ffynhonnell 2 yn dangos sut roedd hi'n gweithredu.

Y bobl bwysicaf yn y gyfundrefn anferth oedd y 400,000 o Arweinwyr Bloc. Roedd yna Arweinydd Bloc ym mhob stryd ac ym mhob fflat ym mhob tref a dinas. Cadwent lygad ar eu cymdogion a rhoddent adroddiadau i'w rheolwyr yn y Blaid pe baent yn gweld unrhyw ymddygiad drwgdybus. Yn y modd hwn, gellid canfod pwy oedd yn gwrthwynebu'r heddlu a phwy oedd yn fân-droseddwyr a'u rhoi yn nwylo'r heddlu.

Ffynhonnell 1

Trefniadaeth heddlu'r Natsïaid.

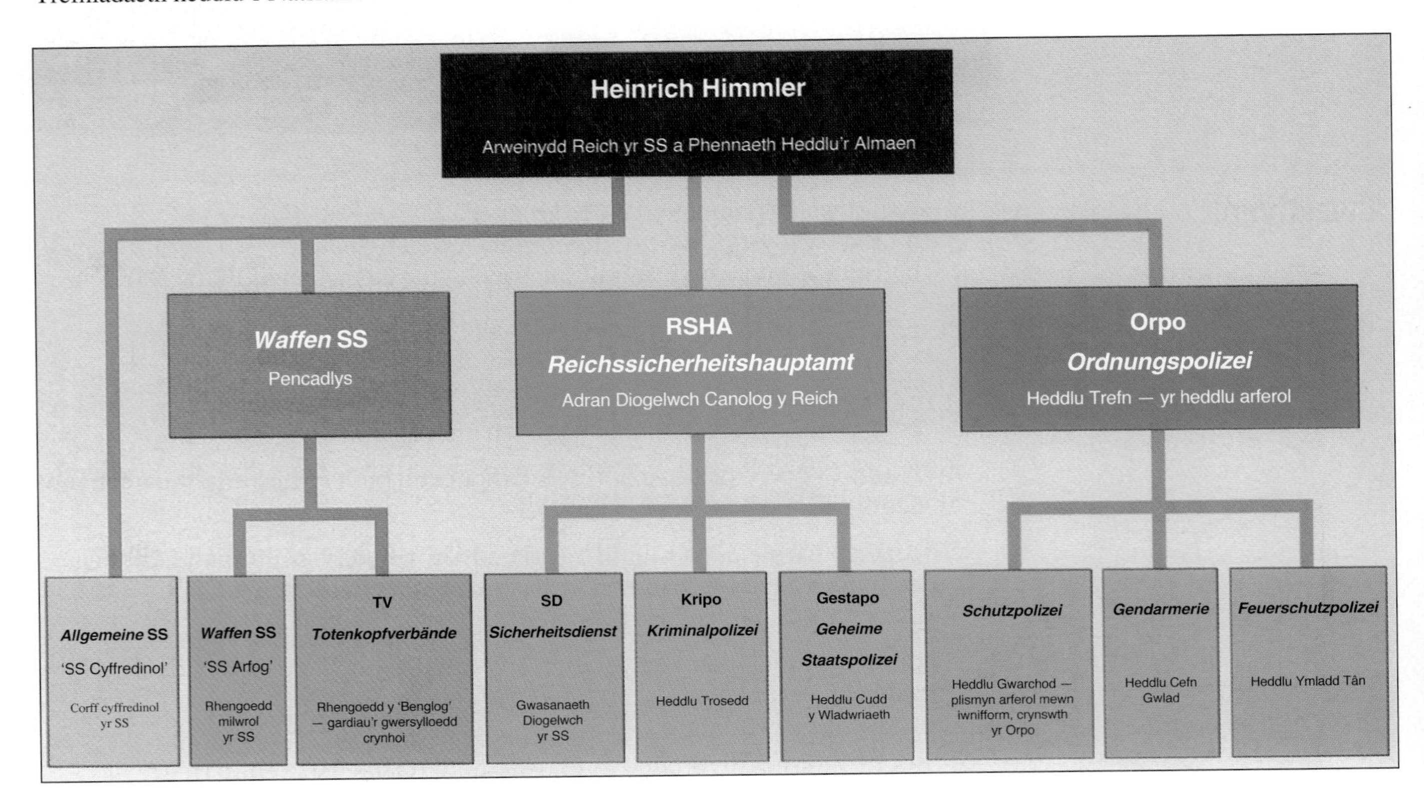

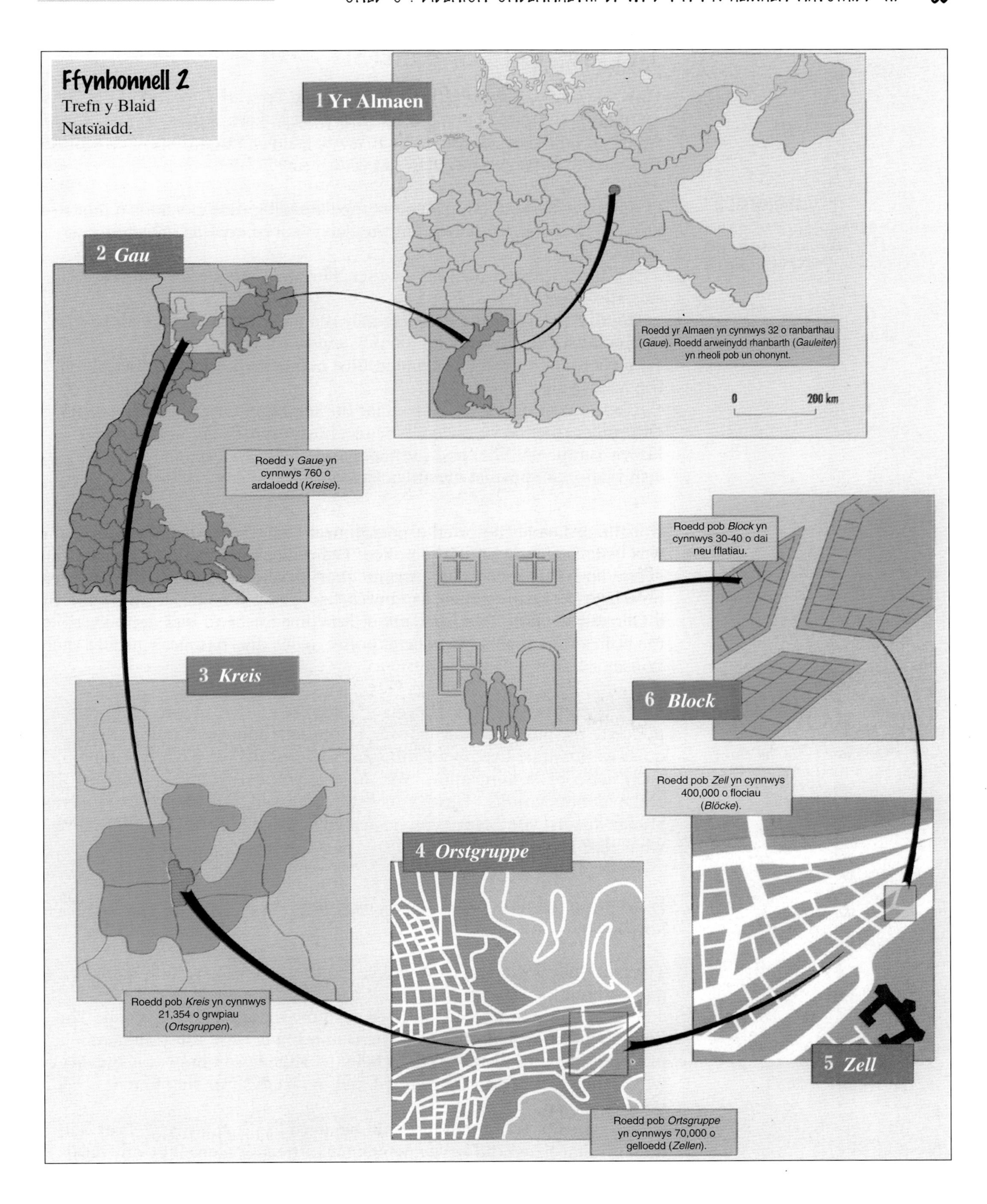
Ffynhonnell 2
Trefn y Blaid Natsïaidd.
1 Yr Almaen
Roedd yr Almaen yn cynnwys 32 o ranbarthau (Gaue). Roedd arweinydd rhanbarth (Gauleiter) yn rheoli pob un ohonynt.
0
200 km
2 Gau
Roedd y Gaue yn cynnwys 760 o ardaloedd (Kreise).
3 Kreis
Roedd pob Kreis yn cynnwys 21,354 o grwpiau (Ortsgruppen).
4 Orstgruppe
Roedd pob Ortsgruppe yn cynnwys 70,000 o gelloedd (Zellen).
5 Zell
Roedd pob Zell yn cynnwys 400,000 o flociau (Blöcke).
6 Block
Roedd pob Block yn cynnwys 30-40 o dai neu fflatiau.

Dulliau rheoli

Sut yn hollol roedd y Blaid a'r heddlu yn rheoli pobl? Mae llawlyfr swyddogol y Blaid Natsïaidd yn rhoi rhai atebion. Ceir ynddo fanylion ynghylch sut roedd swyddogion y Blaid i wneud eu gwaith. Mae Ffynhonnell 3 yn disgrifio beth oedd dyletswydd yr Arweinydd Bloc:

Ffynhonnell 3

Llyfr Trefnu'r NSDAP, Cyhoeddwyr Canolog yr NSDAP, 1943.

Ei ddyletswydd yw canfod pwy sy'n lledaenu sibrydion niweidiol a rhoi eu henwau i'r arweinydd lleol er mwyn iddo ef roi eu henwau i awdurdodau'r wladwriaeth.

Rhaid i'r Arweinydd Bloc fod yn...bregethwr ac amddiffynnydd syniadau Sosialaeth Genedlaethol.

Rhaid i'r Arweinydd Bloc atgoffa aelodau'r Blaid yn barhaus am eu dyletswyddau tuag at y bobl a'r Wladwriaeth.

Ymhellach, rhaid i'r Arweinydd Bloc gwblhau rhestr (ffeil gardiau) am bob teulu.

Nod yr Arweinydd Bloc...yw sicrhau bod meibion a merched y teuluoedd yn ei gylch yn ymaelodi â Mudiad Ieuenctid Hitler, yr SA, yr SS...a Ffrynt Llafur yr Almaen, a'u bod yn ymweld â chyfarfodydd, ralïau, dathliadau, etc., y Sosialwyr Cenedlaethol.

Pe bai Arweinydd Bloc yn rhoi enw rhywun i un o reolwyr y Blaid, byddai'r enw hwnnw, gan amlaf, yn cael ei roi i'r heddlu. Yn y modd hwn roedd gan yr heddlu lygaid a chlustiau ar gornel pob stryd. Golygai hyn fod pawb yn wynebu'r perygl o gael eu harchwilio gan yr heddlu, fel yr awgrymir yn Ffynhonnell 4. Daw'r dyfyniad o lyfr gan Almaenes, Eva Lips, sy'n sôn am y modd y cafodd ei gŵr ei gondemnio gan yr heddlu. Aelod o'r heddlu cudd sy'n siarad. Mae e newydd chwilota drwy eu tŷ:

Ffynhonnell 4

Eva Lips, *What Hitler Did to Us: A Personal Record of the Third Reich*, 1938.

'Cyfnod felly yw hwn,' meddai cynrychiolydd heddlu'r wladwriaeth. 'Rhaid peidio â siarad. Taw piau hi. Cadwch eich meddyliau i chi eich hun. Rhaid i ni ddilyn pob achos o gondemnio. Rydym yn ...annog pawb sy'n dod atom i gondemnio. Oes gennych chi unrhyw weision sydd â chŵyn yn eich erbyn? Ydych chi wedi esgeuluso talu bil? Fedrwch chi ddim dychmygu beth yw canlyniad *hynny*.'

Disgrifiwyd beth oedd canlyniad '*hynny*' gan ymwelydd a ddaeth i'r Almaen o America:

Ffynhonnell 5

Nora Waln, *Reaching for the Stars*, 1939.

Roedd Heddlu Cudd y Sosialwyr Cenedlaethol yn restio pobl yn dawel. Yn hwyr yn y nos neu'n gynnar yn y bore, fe gymeron nhw ddyn ar ôl dyn...

Yn ôl y wybodaeth fanylaf a gefais, fel hyn roedd y restio'n digwydd. Byddech yn clywed cloch y drws yn canu neu'n clywed sŵn y cnociwr. Yn sefyll yno byddai dau neu dri o ddynion tal gyda llawddrylliau yn eu gwregysau... Dewisent awr pryd y byddai'r dyn a geisient wedi ymlacio, wrth fwrdd bwyd neu yn y gwely.

Byddai aelodau eraill y teulu'n ymddwyn fel pe baent wedi'u hypnoteiddio. Ni chredent y byddai ganddo unrhyw obaith o'i ryddhau ei hun drwy unrhyw ddull cyfreithiol... Roedd eu meddyliau yn llawn o atgofion o'r hyn a wyddent am eraill a gymerwyd yn y ffordd hon — diflannu am byth, a chael eu dychwelyd mewn arch, neu, pe caent eu rhyddhau yn fyw, eu dychwelyd â chorff wedi'i lwgu ac ymennydd gwallgof. Eto doedden nhw ddim yn gweithredu mewn unrhyw fodd. Byddai teuluoedd a ffrindiau yn gadael i'w dyn fynd...

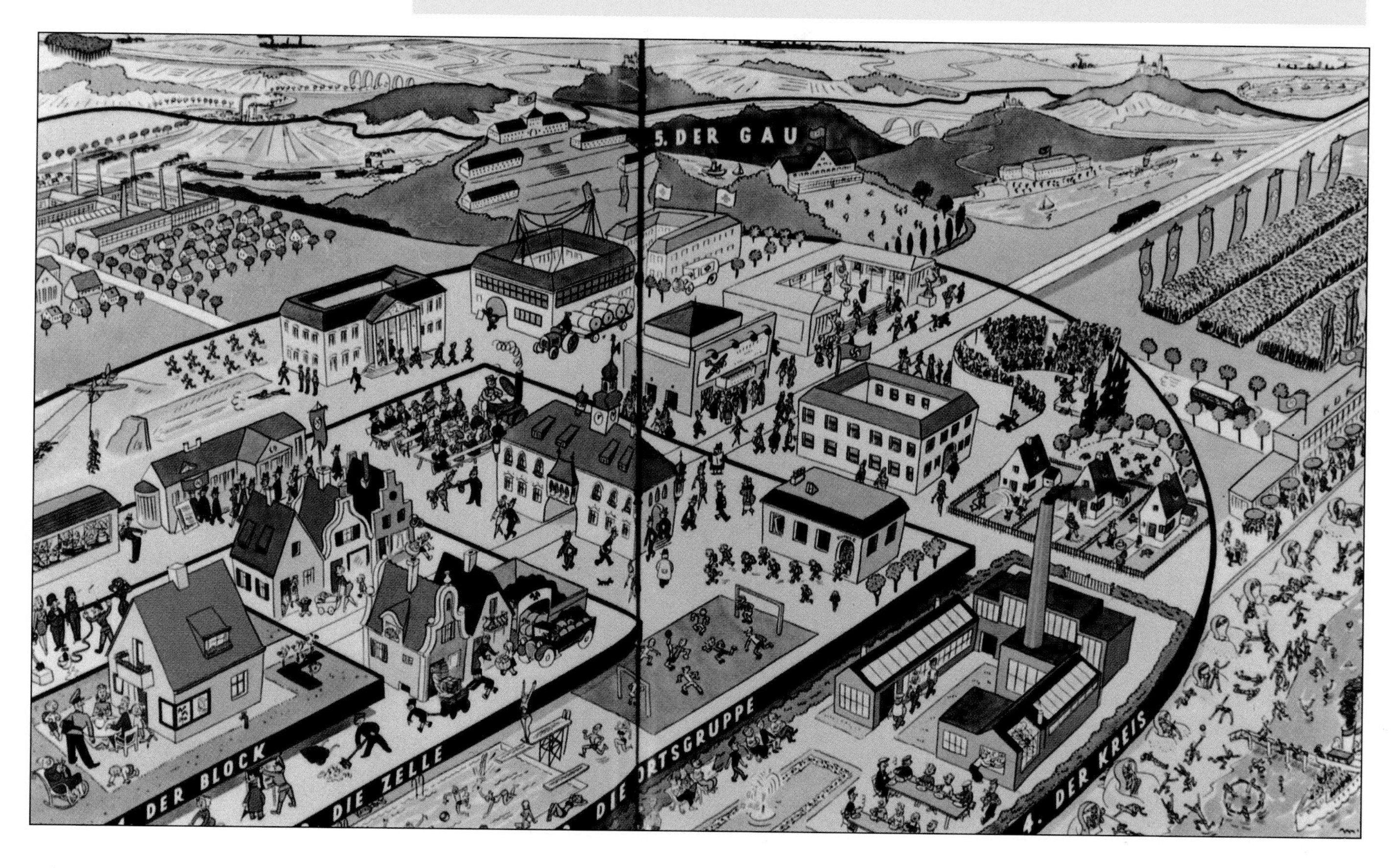

Ffynhonnell 6

Darlun o'r cylchgrawn propaganda Almaenig *Signal* yn 1941. Dangosir pobl hapus a chytûn yn byw yn 1. *Der Block* — y bloc, 2. *Die Zelle* — y gell, 3. *Die Ortsgruppe* — y grŵp, 4. *Der Kreis* — yr ardal, a 5. *Der Gau* — y rhanbarth.

Cwestiynau

1 Yng nghefnau'r Arweinwyr Bloc, roedd llawer o bobl yn eu galw'n 'Hitleriaid Bach'. Yn ôl Ffynhonnell 3, pam roedden nhw'n gwneud hynny?

2 Dywed Ffynhonnell 5 mai dim ond ychydig o deuluoedd a wnâi unrhyw beth i atal eu dynion rhag cael eu restio:
   a Awgrymwch ffyrdd y gallen nhw fod wedi ceisio helpu eu dynion.
   b Yn eich barn chi, pam na wnaethant weithredu mewn unrhyw fodd?

3 **a** Disgrifiwch sut roedd y Blaid Natsïaidd yn rheoli'r Almaen yn ôl Ffynhonnell 6.
   b Yn Ffynonellau 3-5 beth sy'n awgrymu bod Ffynhonnell 6 yn farn unochrog ynglŷn â'r ffordd roedd y Natsïaid yn rheoli'r Almaen?

Ailarfogi a'r economi

Nod Hitler oedd gwneud yr Almaen yn wlad bwerus. Roedd hynny'n golygu datblygu'r lluoedd arfog. Mewn geiriau eraill, bwriadai ailarfogi'r Almaen.

Ailarfogi

Yn 1934, flwyddyn ar ôl iddo gipio grym, rhoddodd Hitler orchymyn a ddywedai fod rhaid i'r lluoedd arfog gael eu cynyddu. Roedd rhaid cynyddu'r fyddin o 100,000 i 300,000 o ddynion. Roedd rhaid i'r llynges adeiladu llongau tanfor a dwy long ryfel. Hefyd roedd rhaid creu llu awyr.

Roedd hyn yn groes i Gytundeb Versailles. Pe bai'r Cynghreiriaid yn darganfod beth oedd yn digwydd, roedd yna berygl y byddent yn meddiannu'r Almaen. Felly fe ychwanegwyd at y lluoedd arfog mewn dull cyfrinachol. Yn 1935 teimlai Hitler yn ddigon cryf i ddechrau ailarfogi'n agored. Rhoddodd ddatganiad fod rhaid i'r dynion ddechrau cyfnod o wasanaeth milwrol pan oeddent yn 18 oed, ac y byddai'r fyddin yn tyfu i 550,000 o ddynion. Fel roedd Hitler wedi rhagweld, fe brotestiodd y Cynghreiriaid ond ni wnaethant unrhyw beth i'w atal.

Y Cynllun Pedair Blynedd

Roedd ailarfogi yn fater costus iawn. Ni allai'r Almaen fforddio cael lluoedd arfog mor fawr. Ateb Hitler oedd cyflwyno Cynllun Pedair Blynedd yn 1935 i ddatblygu economi'r Almaen. Un o brif amcanion y cynllun oedd sicrhau bod y wlad yn hunangynhaliol. Byddai hynny'n arbed arian drwy gwtogi ar nifer y nwyddau a gâi eu prynu oddi wrth wledydd eraill. Felly fe ddatblygwyd defnyddiau artiffisial i gymryd lle defnyddiau a gâi eu mewnforio o wledydd tramor. Gwneid petrol o lo, etc.

Doedd yna ddim i gymryd lle rhai pethau, felly roedd rhai bwydydd yn brin iawn. Roedd braster anifeiliaid, megis menyn, yn arbennig o brin. Ond, yn 1936, dywedodd y dyn a ofalai am y Cynllun Pedair Blynedd, Hermann Goering: 'Beth fyddai orau gennych chi, menyn ynteu gynnau? A ddylen ni fewnforio lard ynteu mwyn haearn? Rwy'n dweud wrthych chi, mae gynnau'n ein gwneud ni'n bwerus. Dim ond ein gwneud ni'n dew a wna menyn.'

Gynnau ynteu menyn?

O gael y dewis rhwng 'gynnau ynteu menyn', beth oedd orau gan yr Almaenwyr? Ceir un ateb yn Ffynhonnell 1. Yma mae newyddiadurwr o America, oedd yn byw yn yr Almaen, yn disgrifio'r hyn a ddigwyddodd pan roddodd Hitler ddatganiad y byddai'n rhaid i ddynion ifanc gyflawni gwasanaeth milwrol.

Ffynhonnell 1

William Shirer, *Berlin Diary: The Journal of a Foreign Correspondent, 1934-1941*, 1941.

Heno fe ymgasglodd torf fawr...o flaen Llys y Canghellor a rhoesant gymeradwyaeth i Hitler tan iddo ymddangos yn un o'r ffenestri a saliwtio. Bydd y penderfyniad heddiw i greu byddin gonsgript yn groes i Gytundeb Versailles yn cryfhau ei safle yn fawr, achos prin yw'r Almaenwyr na roddant eu cefnogaeth lwyr i'r penderfyniad. Bydd y mwyafrif llethol yn hoff iawn o'r modd y dangosodd ei ddirmyg at Versailles...

Ffynhonnell 2

Ymddangosodd y darlun hwn gan John Heartfield yn y cylchgrawn Comiwnyddol gwaharddedig *AIZ* ('Papur Darluniadol y Gweithwyr') yn Rhagfyr 1935. Dywed y pennawd, 'Hwrê, mae'r menyn i gyd wedi mynd.'

Nid oedd pob Almaenwr yn croesawu gynnau yn lle menyn. Gwneud hwyl am ben araith 'gynnau ynteu menyn' Goering a wnaeth yr artist John Heartfield yn y darlun a ddangosir yn Ffynhonnell 2.

Ond a oedd John Heartfield yn gywir? Oedd bwyd wedi mynd mor brin ag yr awgrymir yn ei ddarlun? Mae'r ffigurau yn Ffynhonnell 3 yn dangos nad yw'r ateb mor syml â hynny.

Ffynhonnell 3

Otto Nathan, *The Nazi Economic System: Germany's Mobilisation for War*, 1944.

Treuliant teuluoedd y dosbarth gweithiol yn 1927 ac 1937

	1927	1937
Bara rhyg (kg)	262.9	316.1
Pysgod (kg)	21.8	20.4
Bara gwyn (kg)	55.2	30.8
Llysiau (kg)	117.2	109.6
Cig eidion a chig llo (kg)	21.6	21.4
Tatws (kg)	499.5	519.8
Cigoedd eraill (kg)	133.7	109.2
Siwgr (kg)	47.2	45.0
Bacwn (kg)	9.5	8.5
Ffrwythau trofannol (kg)	9.7	6.1
Menyn (kg)	15.7	18.0
Coffi (kg)	3.3	3.8
Llaeth (litrau)	427.8	367.2
Cwrw (litrau)	76.5	31.6
Caws (kg)	13.0	14.5
Sigaréts (nifer)	450.0	503.0
Wyau (nifer)	404.0	237.0

Cwestiynau

1 Yn ôl Ffynhonnell 1, beth oedd barn llawer o Almaenwyr am y gwasanaeth milwrol gorfodol newydd?

2 Astudiwch Ffynhonnell 3 yn ofalus.
  a Pa eitemau oedd pobl yn defnyddio (i) mwy ohonynt (ii) llai ohonynt yn 1937 nag yn 1927?
  b Ydy Ffynhonnell 3 yn awgrymu bod Almaenwyr wedi gorfod bwyta llai oherwydd polisi 'gynnau ynteu menyn' y Natsïaid? Esboniwch eich ateb.

3 **a** Astudiwch Ffynhonnell 2. Yn eich barn chi, beth oedd John Heartfield am i bobl ei feddwl wrth iddynt edrych ar y darlun hwn?
  b Sut y mae Ffynonellau 1 a 3 gyda'i gilydd yn awgrymu nad oedd ailarfogi mor amhoblogaidd ag yr honnai beirniaid fel John Heartfield?

Adolygu Uned 6

Yn Ffynhonnell 1 ceir rhan o sgwrs yn 1980 rhwng dau Almaenwr 60 oed. Llenor, Bernt Engelmann, oedd y naill a hen gyfaill ysgol iddo oedd y llall:

Ffynhonnell 1

Bernt Engelmann, *In Hitler's Germany: Everyday Life in the Third Reich*, 1988.

> Roedd llwyddo i gael gwared â diweithdra wedi gwneud cryn argraff ar y gweithwyr...
>
> Fe gafodd pobl eu llygad-dynnu gan y peth. Dyna brif ddadl y Natsïaid. Heddiw fe wyddom mai ffaith yw'r hyn roeddem yn ei amau bryd hynny: doedd diweithdra ddim wedi dod i lawr i lefel normal tan hydref 1936. Aeth bron bedair blynedd heibio cyn i hynny ddigwydd, ac yn ystod yr un cyfnod, roedd y prif wledydd diwydiannol eraill wedi cryfhau ar ôl y Dirwasgiad heb ddefnyddio braw, na dulliau eithafol, na'r paratoadau at ryfel a ddefnyddid yn yr Almaen i gael y di-waith oddi ar y strydoedd.

Ffynhonnell 2

Canran y gweithlu yn ddi-waith yn yr Almaen, y DU ac UDA, 1925-39.

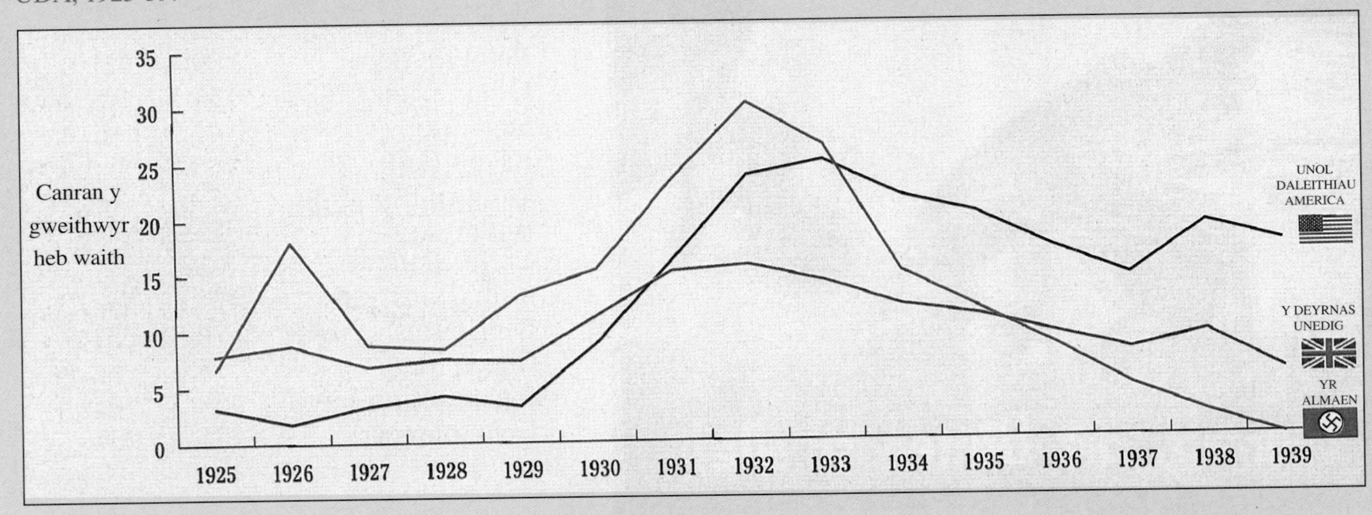

Cwestiynau

1. Pa rai o blith y gosodiadau canlynol, a wnaed yn Ffynhonnell 1, y gellir eu cadarnhau gan y wybodaeth yn Ffynhonnell 2?
   - **a** 'doedd diweithdra ddim wedi dod i lawr i lefel normal tan hydref 1936'.
   - **b** 'yn ystod yr un cyfnod, roedd y prif wledydd diwydiannol eraill wedi cryfhau ar ôl y Dirwasgiad'.

2. Gan ddefnyddio'r wybodaeth yn Uned 6 y llyfr hwn, rhowch enghreifftiau o'r hyn y gallai'r siaradwr yn Ffynhonnell 1 fod wedi meddwl amdanynt pan soniai am:
   - **a** braw
   - **b** dulliau eithafol
   - **c** paratoadau at ryfel a ddefnyddid yn yr Almaen i gael y di-waith oddi ar y strydoedd.

3. Wrth ystyried eich atebion i gwestiynau 1 a 2, esboniwch pam eich bod yn cytuno neu'n anghytuno â'r hyn a ddywedir yn Ffynhonnell 1.

Uned 7. Y wladwriaeth dotalitaraidd: bywyd yn yr Almaen Natsïaidd (2)

Dywedodd un o'r arweinwyr Natsïaidd, Robert Ley, yn 1937 mai 'yr unig rai sydd â bywyd preifat yn yr Almaen heddiw yw'r rhai sy'n cysgu'. Sut brofiad oedd byw mewn gwlad o'r fath? Yn yr uned hon ceisir ateb y cwestiwn hwn drwy ddangos sut roedd y Natsïaid yn rheoli merched, pobl ifanc a mynychwyr y capeli a'r eglwysi. Oherwydd fod eu rheolaeth mor llwyr, cafodd yr Almaen ei disgrifio'n aml yn 'wladwriaeth dotalitaraidd'.

Darlun yw hwn gan yr arlunydd Natsïaidd, Richard Spitz. Teitl y darlun yw 'Gweledigaeth Natsïaidd am Fawredd'. Mae'n dangos Cyrchfilwyr a gweithwyr, dynion a merched, yr ifanc a'r hen, ynghyd ag ysbrydion y meirwon, i gyd dan reolaeth y Blaid Natsïaidd. Yn y blaendir mae un o'r Cyrchfilwyr yn cwympo mewn ecstasi o flaen y weledigaeth.

Merched

Yn yr 1920au roedd gan ferched yr Almaen gryn ryddid a nifer o hawliau nad oedd merched mewn gwledydd eraill wedi eu cael. Roedd ganddynt yr hawl i bleidleisio. Roedd merched a weithiai i'r llywodraeth yn cael yr un cyflog â dynion. Roedd llawer ohonynt yn dewis y gyfraith a meddygaeth fel gyrfa, a hynny'n gyfartal â dynion. Dan reolaeth Natsïaidd, fodd bynnag, fe gollodd merched y breintiau hyn. Fe'u gorfodwyd i fynd yn ôl i'w rôl draddodiadol o fod yn wragedd a mamau. Pam y gwnaethpwyd hyn gan y Natsïaid?

Pam roedd y Natsïaid yn cyfyngu ar fywydau merched?

Credai'r Natsïaid mai swyddogaeth bwysicaf merch oedd rhoi genedigaeth i blant — bechgyn o ddewis. Roedd nifer genedigaethau'r Almaen yn gostwng yn gyflym, a dymuniad y Natsïaid oedd cynyddu nifer y genedigaethau er mwyn cael rhagor o filwyr yn y fyddin. Felly, yn syth ar ôl iddynt ddod i rym, fe gyflwynon nhw fesurau i annog pobl i gael mwy o blant. Ac un o'r mesurau hynny oedd 'benthyciadau priodasol':

Ffynhonnell 1

O Ddeddf Gostwng Diweithdra, 1 Mehefin 1933.

1,000 o *Reichsmarks
Y cyflog cyfartalog yn 1933 oedd 150 marc y mis. Felly, gwerth benthyciad oedd ychydig dros hanner enillion blwyddyn.

Mae dinasyddion Almaenig sy'n priodi...yn gallu cael benthyciad priodasol hyd at 1,000 o *Reichsmarks**...Dyma'r amodau:

a Bod y ddarpar wraig wedi treulio o leiaf chwe mis mewn swydd...
b Bod y ddarpar wraig yn ildio ei swydd...
c Bod y ddarpar wraig yn addo peidio â mynd i swydd os bydd ei gŵr yn ennill mwy na 125 *Reichsmark* y mis.

Os oedd cwpl yn cymryd benthyciad ac yna'n cael baban, caent beidio ag ad-dalu chwarter y benthyciad. Ar enedigaeth ail blentyn, caent beidio ag ad-dalu hanner y benthyciad. Pe baent yn cael pedwar o blant, roedd eu dyled wedi'i chlirio.

Drwy'r drefn benthyciadau priodasol cafodd llawer o bobl ifanc eu hannog i briodi'n gynnar. O ganlyniad, fe gynyddodd nifer y priodasau o hanner miliwn yn 1932 i dri chwarter miliwn yn 1934. Ond ni chafodd mwy o fabanod eu geni. Dau o blant a gâi y mwyafrif o gyplau o hyd.

Rhoddodd y llywodraeth gynnig ar gynlluniau eraill i gynyddu nifer y genedigaethau. Cynyddwyd y budd-daliadau i famau. Cyflwynwyd budd-daliadau i deuluoedd. A rhoddid medalau i'r mamau mwyaf ffrwythlon bob blwyddyn: efydd i'r rhai â phump o blant, arian am chwech neu saith, ac aur am wyth neu ragor.

Sylfaen y cynlluniau hyn i gyd oedd syniadau'r Natsïaid am fywyd teulu-ol. Mae Ffynonellau 2 a 3 yn cynnwys rhai o'r syniadau hyn.

Ffynhonnell 2

O daflen a gyhoeddwyd gan y Blaid Natsïaidd a'i hanfon at lawer o ferched ifanc yr Almaen.

1. Cofiwch mai Almaenes ydych!
2. Os ydych yn enetig iach, peidiwch ag aros yn ddibriod!
3. Cadwch eich corff yn bur!
4. Cadwch eich meddwl a'ch ysbryd yn bur!
5. Priodwch ar sail cariad yn unig!
6. Fel Almaenes, dewiswch gymar o waedoliaeth debyg neu berthynol!
7. Wrth ddewis cymar, holwch am ei hynafiaid!
8. Mae iechyd yn angenrheidiol ar gyfer harddwch corfforol!
9. Chwiliwch am bartner priodasol, nid ffrind chwarae!
10. Dylech fod eisiau cynifer o blant ag sy'n bosibl!

Ffynhonnell 3

Mae'r poster hwn, a gyhoeddwyd yn 1937, yn dweud bod yr NSDAP (y Blaid Natsïaidd) 'yn amddiffyn y gymuned genedlaethol'. Dywed hefyd, 'Gymrodyr cenedlaethol, os oes arnoch angen cymorth neu gyngor, trowch at gorff lleol eich Plaid.'

Doedd pob merch ddim yn cael ei hannog i gael babanod. Yn ôl 'Deddf Atal Disgynyddion Afiach drwy Etifeddiaeth', roedd merched a oedd yn 'anaddas' i fod yn famau yn gorfod cael eu sterileiddio. Erbyn 1937 roedd tua 100,000 o ferched wedi cael eu sterileiddio. Mae Ffynhonnell 4 yn sôn am y math o ferch a gâi ei chyfrif yn 'anaddas'. Ysgrifennwyd y darn gan athro o America a oedd yn byw yn Berlin. Cafodd ei arwain ar ymweliad ag ysgolion y ddinas a'r cyfleusterau ar gyfer plant.

Ffynhonnell 4
Gregor Ziemer, *Education for Death*, 1941.

'Dyma'r man lle rydym yn profi bod ein diddordeb yn y plentyn yn dechrau cyn iddo gael ei eni. Hwn yw'r *Frauen-Klinik* — ysbyty merched y ddinas.'

Dringasom y grisiau ac aethom i mewn i'r galeri ar yr ail lawr. Yno roedd pared gwydr rhyngom ag ystafell y llawdriniaethau. Islaw roedd chwe meddyg yn gweithio'n ddiwyd.

Wrth imi syllu, fe drodd fy wyneb yn welw... Roedd gwelyau yn mynd a dod yn drefnus. Gwnâi'r meddygon doriadau cyflym, medrus yn yr abdomenau gwynion:

'Be maen nhw'n ei wneud?' gofynnais.

'...Mae'r meddygon hyn,' meddai, 'yn sterileiddio'r merched...'

Gofynnais pa fath o ferched...a dywedwyd wrthyf mai merched yn dioddef o salwch meddwl oeddent, merched a ddangosodd drwy enedigaethau blaenorol nad oedd eu plant yn gryf...

'Rydyn ni hyd yn oed yn dileu lliwddallineb (colour-blindness)...' meddai'r aelod o'r SS a oedd yn fy nhywys. 'Rhaid inni beidio â chael milwyr sy'n lliwddall. Dim ond merched sy'n ei drosglwyddo.'

Ffynhonnell 5
Merched ysgol yn dysgu sut i wneud pryd o fwyd ar gyfer pedwar o bobl.

Mynnu bod merched yn cydymffurfio

Fel pob grŵp arall yn yr Almaen, bu'n rhaid i gymdeithasau'r merched gydymffurfio ar ôl 1933. Cafodd y cymdeithasau i gyd eu cyfuno yn un dan y teitl 'Menter Merched yr Almaen', y *Deutsches Frauenwerk*. Roedd o leiaf chwe miliwn o aelodau yn perthyn i'r gymdeithas newydd. Ei gwaith oedd trefnu Ysgolion Mamau i hyfforddi merched ynglŷn â sut i wneud gwaith tŷ a bod yn rhieni effeithiol, trefnu cyrsiau, darlithoedd a rhaglenni radio ar bynciau'n ymwneud â'r cartref.

Ond nid drwy'r dull hwn yn unig y bu'n rhaid i ferched gydymffurfio. Yn fuan ar ôl i'r Natsïaid ddod i rym, cafodd miloedd o ferched priod oedd yn feddygon a gweision sifil eu diswyddo. Yn raddol, bu

gostyngiad yn nifer y merched oedd yn athrawon. O 1936 ymlaen doedd merched ddim yn cael bod yn farnwyr nac yn erlynwyr nac ychwaith yn aelodau o reithgor.

Yn lle mynd allan i weithio, gofynnid i ferched lynu wrth y 'tair K' — *Kinder, Kirche* a *Küche*, sef 'plant, eglwys a chegin'. Mae Ffynhonnell 5 yn dangos merched ysgol yn dysgu am y drydedd K. Ond ar ôl i'r rhyfel ddechrau yn 1939, câi merched eu hannog i weithio i gefnogi'r ymdrech ryfel. Mae Ffynhonnell 6 yn dangos y polisi newydd.

Roedd y Blaid Natsïaidd yn ymgyrchu hefyd i newid gwisg a gwedd y merched. Doedd colur a throwsus ddim yn plesio. Roedd hi'n dderbyniol i wallt gael ei blethu ond nid ei liwio na'i bermio. Doedd colli pwysau ddim i'w gymeradwyo gan y credid bod hynny'n anfantais ar gyfer rhoi genedigaeth i blant. Mae Ffynhonnell 3 yn enghraifft o'r olwg a gymeradwyai'r Natsïaid.

Ffynhonnell 6

Poster propaganda o 1944 yn annog merched i gefnogi'r ymdrech ryfel drwy weithio mewn ffatrïoedd, mewn ysbytai ac ar ffermydd.

Cwestiynau

1 Astudiwch Ffynhonnell 1 a'r paragraff sy'n ei dilyn.
   a Faint o arian a gâi cyplau oedd newydd briodi ei fenthyg oddi wrth y llywodraeth?
   b Am ba nifer o wythnosau y byddai'n rhaid iddynt weithio i ennill yr un swm?
   c Sut y gallai cyplau osgoi ad-dalu'r benthyciad neu ran ohono?
   ch Sut y mae eich atebion i **a**, **b** ac **c** yn helpu i esbonio pam y cynyddodd nifer priodasau o 500,000 i 750,000 yn y flwyddyn ar ôl i fenthyciadau priodasol gael eu cyflwyno?

2 Edrychwch ar adrannau **a**, **b** ac **c** yn Ffynhonnell 1. Ar wahân i annog cyplau i gael plant, beth oedd pwrpas arall y ddeddf hon?

3 Astudiwch Ffynonellau 2 a 4.
   a Pa fath o blant oedd y Natsïaid yn awyddus i ferched eu cael?
   b Nodwch ddau o'r dulliau a ddefnyddient i geisio sicrhau mai dim ond plant o'r fath a gâi eu geni.

4 Gan ddefnyddio'r holl ffynonellau a gwybodaeth yn yr adran hon, esboniwch (a) sut, a (b) pam y mynnodd y Natsïaid gyfyngu ar fywyd merched.

5 Yn Ffynhonnell 6 gwelir beth oedd agwedd newydd y Natsïaid at ferched? Awgrymwch reswm am y newid.

Pobl ifanc

Ysgolion Natsïaidd

Hyd at 1933, llywodraethau taleithiol yr Almaen oedd yn gyfrifol am y rhan fwyaf o'r ysgolion. Ar ôl i'r Natsïaid ddod i rym, cymerwyd y cyfrifoldeb oddi wrth y taleithiau a'i roi i'r Gweinidog Addysg yn Berlin. Daeth nifer o newidiadau yn sgîl hynny. Cafodd athrawon Iddewig eu diswyddo. Bu'n rhaid i bob athro arall dyngu llw o ffyddlondeb i Hitler ac ymuno â Chynghrair Athrawon Natsïaidd. Ailysgrifennwyd gwerslyfrau er mwyn iddynt gynnwys syniadau Natsïaidd. Cyflwynwyd cyrsiau ar hanes yr Almaen, gwleidyddiaeth a 'hylendid hiliol' (racial hygiene). Cafodd addysg grefyddol ei dileu. Cafodd nifer y gwersi addysg gorfforol eu dyblu.

Y mudiad ieuenctid

Y tu allan i'r ysgolion, roedd llawer o grwpiau ieuenctid yn yr Almaen, ac fe fynnodd y Blaid Natsïaidd eu rheoli hwythau. Deddfwyd yn 1936 fod y grwpiau ieuenctid i gyd i gael eu cyfuno dan 'Fudiad Ieuenctid Hitler'. Ar ôl i ddwy ddeddf arall ddod i rym yn 1939, roedd bod yn aelod o'r mudiad yn orfodol. Mae Ffynhonnell 1 yn dangos y pedwar prif grŵp yn Ieuenctid Hitler. Mae Ffynonellau 2 a 3 yn awgrymu beth oedd natur y grwpiau.

Gwrthryfelwyr ifanc

Erbyn 1940, fel mae Ffynhonnell 1 yn dangos, roedd y mwyafrif o bobl ifanc yn perthyn i Ieuenctid Hitler. Ond osgoi ymaelodi â'r mudiad a wnaeth rhai gan ffurfio eu grwpiau eu hunain. Y grŵp mwyaf o wrthryfelwyr oedd Môr-ladron Edelweiss. Roedden nhw'n mynnu gwrando ar gerddoriaeth fywiog waharddedig, dawnsio'r Jitterbug gwaharddedig, gwisgo dillad tartan a thyfu eu gwallt yn gydynnau hir. Roedden nhw'n codi braw ar yr awdurdodau gyda'u hymddygiad 'anghymdeithasol' megis ysgrifennu graffiti gwrth-Natsïaidd ar waliau a chychwyn ysgarmesau gydag aelodau o Ieuenctid Hitler.

Ffynhonnell 5

Aelodaeth a strwythur Mudiad Ieuenctid Hitler, 1934-40.

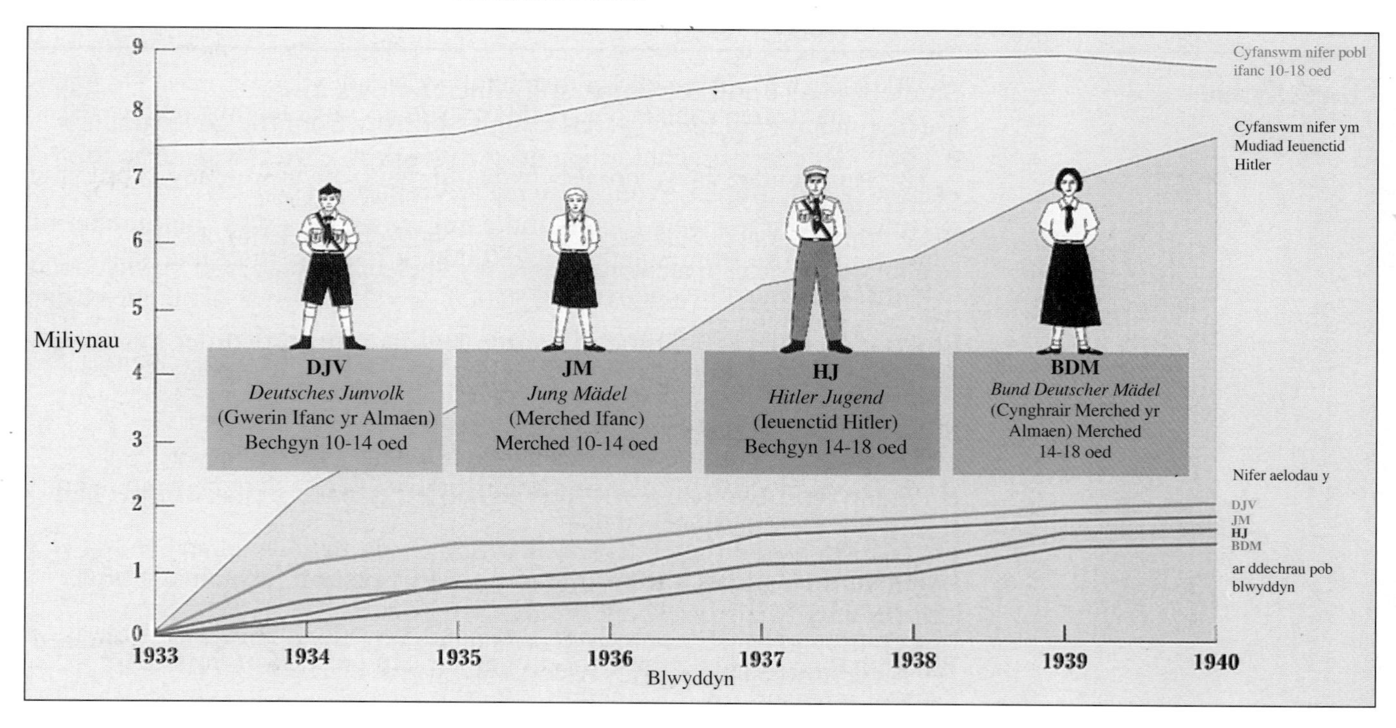

Ieuenctid Hitler: o blaid ac yn erbyn

Ffynhonnell 2

Bechgyn y DJV (Gwerin Ifanc yr Almaen) mewn rheng ar gyfer archwiliad pebyll yn eu gwersyll yng Nghae Tempelhof, Berlin, ym Mehefin 1934.

Sut gorff oedd Mudiad Ieuenctid Hitler? Beth oedd manteision perthyn iddo a pham roedd rhai yn gwrthryfela? Ceir un ateb yn llyfr rheolau'r mudiad (gw. Ffynhonnell 3). Mae'n disgrifio'r hyn a oedd yn ofynnol i fechgyn 10-14 oed allu ei wneud i gael 'Bathodyn Llwyddiant'.

Ffynhonnell 3

Pimpf in Dienst ('Bechgyn yn y Gwasanaeth'), 1937.

* **Egwyddori** (Indoctrination) Dysgu syniadau i bobl ifanc yn y fath fodd ag i beri eu bod yn derbyn y syniadau hynny yn ddigwestiwn.

Dyma'r amodau ar gyfer derbyn y bathodyn:

(1) Egwyddori*

1 Bywyd y *Führer*
2 Almaenwyr dramor
3 Tiriogaethau coll
4 Gwyliau'r Almaenwyr
5 Llwon y pum baner
6 Chwech o Ganeuon Ieuenctid Hitler:
  a Brodyr mewn Pyllau a Mwynfeydd
  b Nefoedd Lwyd
  c Mamwlad Sanctaidd...

(2) Llwyddiannau athletig

1 Rhedeg, 60 metr — 10 eiliad
2 Naid hir — 3.25 metr
3 Taflu pêl — 35 metr
4 Eich tynnu'ch hun at y bar — ddwy waith
5 Trosben dwbl tuag yn ôl
6 Nofio 100 metr
7 Gallu reidio beic

(3) Heicio a gwersylla

1 Heicio am ddiwrnod dros 15 kilometr gyda llwyth ysgafn (dim mwy na 5 kg)...
2 Cyfrannu at fywyd gwersyll, byw mewn pebyll am dri diwrnod o leiaf.
3 Codi pabell gysgodi a helpu i godi pabell hir.
4 Llunio twll coginio; nôl dŵr coginio.
5 Gwybod enwau'r coed pwysicaf.
6 Cyfeiriadu map oddi wrth y sêr.
7 Gwybod y symbolau pwysicaf ar fap 1:25,000...

(4) Ymarfer saethu at darged

Saethu gyda gwn aer, o bellter o wyth metr mewn safle eistedd. Taro canol y nod gyda 12 cylch consentrig; pellter y cylchoedd 0.5 cm.

Beth oedd barn aelodau o Ieuenctid Hitler am y gwersylloedd hyn? Dyma gyn-aelod o'r BDM, Melita Maschmann, yn ysgrifennu ymhen blynyddoedd am wersyll BDM:

Ffynhonnell 4

O hunangofiant Melita Maschmann. Cyfieithwyd i'r Saesneg dan y teitl *Account Rendered: A Dossier on my Former Self*, 1964.

Roedd ein gwersyll yn fodel bach o'n cymuned genedlaethol. A model cwbl lwyddiannus ydoedd. Ni chefais brofiad cyn hynny nac wedyn o gystal cymuned... Yn ein plith roedd yna ferched gwladaidd, myfyrwyr, gweithwyr, cynorthwywyr siopau, pobl trin gwallt, disgyblion, clercod ac yn y blaen.

Ffynhonnell 5

Wyneb ddalen *Kamaradschaf* ('Brawdoliaeth'), 1938 cylchgrawn tanddaearol anghyfreithlon, ar gyfe pobl ifanc

Fel mae Ffynhonnell 1 yn dangos, roedd tua miliwn o bobl nad oeddent wedi ymuno â Mudiad Ieuenctid Hitler yn 1940, er bod hynny'n orfodol o ran bwriad. Mae Ffynhonnell 5 yn awgrymu beth oedd teimladau rhai o'r gwrthryfelwyr.

Roedd y Natsïaid yn feirniadol iawn o bobl ifanc oedd yn ffurfio eu grwpiau eu hunain, fel y gwelir yn Ffynhonnell 6. Adroddiad ydyw a anfonwyd at y Gestapo gan y Blaid Natsïaidd yn Düsseldorf.

Ffynhonnell 6

Hauptstaatsarchiv Düsseldorf (Archifau Talaith Düsseldorf)

Ynghylch: Môr-ladron Edelweiss... Mae'r llanciau hyn, sydd rhwng 12 a 17 oed, yn loetran tan hwyr y nos, gydag offerynnau cerdd a merched ifanc. Gan fod y giwed hon, i raddau helaeth, y tu allan i Fudiad Ieuenctid Hitler ac yn dangos gelyniaeth tuag ato, maent yn fygythiad i bobl ifanc eraill... Amheuir mai'r bobl ifanc hyn a fu'n sgrifennu ar waliau'r isffordd ar yr *Altenbergstrasse* gyda'r slogan 'Ymaith â Hitler...Ymaith â chreulondeb Natsïaidd' etc.

Cwestiynau

1 Darllenwch Ffynhonnell 3 yn ofalus. Beth mae'n ei ddweud wrthych am
  a gweithgareddau pobl ifanc ym Mudiad Ieuenctid Hitler
  b amcanion Mudiad Ieuenctid Hitler?

2 **a** Astudiwch Ffynhonnell 2. Yn eich barn chi, beth oedd atyniadau'r gwersyll hwn?
  b Yn ôl Ffynhonnell 4, pa fanteision eraill oedd i wersylloedd Ieuenctid Hitler?

3 Mae Ffynhonnell 1 yn dangos bod saith miliwn o bobl ifanc wedi ymuno â Mudiad Ieuenctid Hitler cyn i aelodaeth ddod yn orfodol yn 1939. Ydy hyn yn profi bod y rhan fwyaf o bobl ifanc yr Almaen yn hoffi'r mudiad? Eglurwch eich ateb.

4 Edrychwch ar Ffynonellau 5 a 6. Beth maent yn ei ddweud wrthych am resymau rhai pobl ifanc dros ymuno â Mudiad Ieuenctid Hitler?

5 **a** Pe bai'r Gestapo yn cael adroddiad am rywun, beth oedd y canlyniadau tebygol?
  b Er gwaethaf perygl y canlyniadau, pam roedd Môr-ladron Edelweiss yn fodlon mentro gwneud yr hyn a ddisgrifir yn Ffynhonnell 6?

Cristnogaeth a'r Natsïaid

Dywedai rhaglen y Blaid Natsïaidd eu bod yn credu mewn 'Cristnogaeth adeiladol'. Soniai'r rhaglen am 'ryddid i bob enwad crefyddol'. Eto, ymhen ychydig fisoedd ar ôl iddynt gipio grym, roedd y Natsïaid yn ymdrechu i niweidio'r ffydd Gristnogol.

Yr Eglwys Gatholig

Yn 1933 fe arwyddodd Hitler Goncordat (cytundeb) gyda'r Pab. Dywedai'r Concordat na fyddai'r Natsïaid yn ymyrryd ym materion yr Eglwys Gatholig. Rhoddodd y Pab orchymyn i'r esgobion dyngu llw o ffyddlondeb i Hitler.

Doedd Hitler ddim yn bwriadu glynu wrth y cytundeb hwn. Caewyd ysgolion yr eglwys. Difethwyd Cynghrair Ieuenctid y Catholigion. Caewyd sawl mynachlog.

Protestiodd y Pab yn 1937 mewn cylchlythyr oedd i'w ddarllen ym mhob eglwys Gatholig yn yr Almaen. Ynddo roedd y Natsïaid yn cael eu condemnio am fod yn 'elyniaethus at Grist a'i Eglwys'. Ond ni chafodd y llythyr unrhyw effaith. Parhaodd y Natsïaid i ymosod ar yr eglwys. Hefyd fe ddechreuon nhw restio offeiriaid a'u rhoi mewn gwersylloedd crynhoi.

Yr Eglwysi Protestannaidd

Roedd Protestaniaid yr Almaen yn perthyn i 28 o grwpiau eglwysig. Yn 1933, dan bwysau o du'r Natsïaid, fe gytunon nhw i ffurfio 'Eglwys y Reich'. Fe etholon nhw Natsi yn 'Esgob y Reich' a diarddel gweinidogion 'nad oeddent yn Aryaid'.

Roedd aelodau mwyaf brwd Eglwys y Reich yn eu galw eu hunain yn 'Gristnogion Almaenig'. Gwisgent iwnifform y Natsïaid a rhoddent y cyfarchiad Almaenig. Eu slogan oedd 'Y swastica ar ein brest a'r Groes yn ein calon'.

Ym marn llawer o Brotestaniaid, roedd hynny'n beth drwg. Dan arweiniad Martin Niemöller, fe ymwahanodd grŵp o weinidogion oddi wrth Eglwys y Reich, ac fe sefydlon nhw eu 'Heglwys Gyffes' eu hunain. Ymunodd dros 6,000 o weinidogion â'r 'Eglwys Gyffes'. Dim ond 2,000 oedd ar ôl yn

Ffynhonnell 3

Myfyrwyr oedd yn arddel y teitl 'Cristnogion Almaenig' yn cynnal cyfarfod crefyddol yn yr awyr agored yn Berlin yn 1938.

Eglwys y Reich. Roedd hynny'n her i bŵer y Natsïaid. O ganlyniad, fe restiwyd tua 800 o weinidogion. Cafodd llawer ohonynt, gan gynnwys Niemöller, eu rhoi mewn gwersylloedd crynhoi.

Sectau crefyddol

Gwrthododd rhai sectau crefyddol gydweithredu mewn unrhyw fodd â'r Natsïaid. Roedd y Tystion Jehofa, er enghraifft, ar sail eu dehongliad o'r Beibl, yn gwrthod codi arfau dros unrhyw achos. Felly fe wrthodon nhw wasanaethu yn y fyddin nac ymwneud mewn unrhyw fodd â'r Natsïaid. Yn gosb, cafodd teuluoedd cyfain o Dystion Jehofa eu carcharu gan yr SS. Cafodd oddeutu treuan o'r holl Dystion Jehofa eu llofruddio mewn gwersylloedd crynhoi.

Cafodd llawer o sectau a grwpiau eraill eu hatal hefyd. Diflannodd Byddin yr Iachawdwriaeth, Seientiaid Cristnogol ac Adfentyddion y Seithfed Dydd. Cafodd astrolegwyr, iachawyr a dynion a gwragedd dweud ffortiwn eu gwahardd yn ogystal.

Cyltiau paganaidd

Daeth nifer o sectau nad oeddent yn Gristnogol i gymryd lle y sectau a waharddwyd. Y brif sect oedd Mudiad Ffydd yr Almaen. Roeddent i gyd o blaid y Natsïaid ac roeddent i gyd yn hiliol. Cyltiau paganaidd oedd y mwyafrif, yn addoli'r haul a'r tymhorau yn hytrach na'r Duw Cristnogol.

Pa mor Gristnogol oedd y Natsïaid?

Roedd y Natsïaid yn honni eu bod yn credu mewn 'Cristnogaeth gadarnhaol', eto roeddent yn erlid Cristnogion o bob math. Felly beth oedd eu cred? Mae Ffynonellau 2-6 yn dangos rhai o ddulliau'r Natsïaid o grefydda.

Ffynhonnell 2

Gweddi a gâi ei hadrodd cyn prydau bwyd mewn cartrefi Natsïaidd ar gyfer plant amddifad. Dyfynnir yn K. Immer, *Entchristung der Jugend* ('Datgristioneiddio Plant'), 1936.

O Führer, fy Führer, a anfonwyd ataf gan Dduw,
Bydd yn amddiffyn imi a chynnal fy mywyd.
Gwasanaethaist yr Almaen yn awr ei hangen.
Diolchaf yn awr i ti am fy mara beunyddiol.
O! Aros gyda mi, O! Paid â'm gadael.
Führer, fy Führer, fy ffydd a'm bywyd.

Ffynhonnell 3

Gweddi hwyrnos a adroddid mewn ysgol Gatholig i ferched yn Breslau yn 1934. Dyfynnir yn Klaus Scholder, *The Churches and the Third Reich*, 1988.

Dduw annwyl yn y nefoedd fry,
anfon angylion gyda'th gariad,
i sefyll o gwmpas fy ngwely
pan orweddaf.

Anfon yr angel harddaf,
gyda gwallt golau a llachar,
mewn gwisg ddisgleirwen,
anfon ef at ein Hitler ni.

Boed iddo ef warchod ei gwsg,
a'i gadw rhag niwed,
fel y bydd yn deffro yfory
er mwyn ein hannwyl wlad.

Ffynhonnell 4

Cân a argraffwyd yn *Neues Lieder der Hitler Jugend* (Caneuon Newydd Ieuenctid Hitler), dim dyddiad.

Ieuenctid Hitler hapus ydym ni,
does dim angen eich gwirionedd Cristnogol
arnom ni,
oherwydd Adolf Hitler yw ein Harweinydd,
ein hachubydd a'r un sy'n ein bwydo.

Ni chaiff yr un pab na chnaf ein hatal,
Fe gawn ni, Ieuenctid Hitler, ddweud
ein dweud.
Horst Wessel* sy'n ein harwain, nid yw Crist
yn ddim*.
Pwy sydd eisiau arogldarth a chroeslun?

Does dim angen yr eglwys i fendithio,
y swastica sy'n dod â hapusrwydd i ni...

* **Horst Wessel** Cyrchfilwr Natsïaidd a laddwyd mewn brwydr stryd yn erbyn Comiwnyddion yn 1932. Yn ddiweddarach cafodd ei wneud yn arwr Natsïaidd.

Ffynhonnell 5

Pregeth a draddodwyd yn Nadolig 1936 gan aelod o Fudiad Ffydd yr Almaen. Dyfynnir yn J.S. Conway, *The Nazi Persecution of the Churches*, 1968.

Y Nadolig yw gŵyl goleuni ein hynafiaid, Almaenwyr y cynoesoedd, ac felly mae hi'n ŵyl sy'n ymestyn yn ôl dros filoedd o flynyddoedd. Yn uchafbwynt heulsafiad y gaeaf, rhwng 23-25 Rhagfyr, deuai gwahanol aelodau pob teulu...at ei gilydd dan ddeilbren yn y coed. Ymddangosai Dyn y Gaeaf, yr hen Ruprecht... a rhannu anrhegion. Câi ffaglau tân eu clymu wrth goeden ac yn fuan... câi'r tywyllwch ei oleuo gan fflamau'r goeden Nadolig... Ar ôl iddynt ganu rhai caneuon Nadolig, âi ein hynafiaid adref gyda'r wybodaeth a'r llawenydd yn eu calonnau... nad oedd eu Duw wedi eu hanghofio na'u gadael. O hynny ymlaen fe godai'r haul yn uwch ac yn uwch bob dydd...

Ni chollodd ein hynafiaid eu ffydd yn y goleuni oedd i ddod... felly hefyd y safwn ninnau heddiw yn y goleuni wedi'r nos faith. Ar ôl y Rhyfel Mawr, cafodd yr Almaen ei bygwth â dinistr. Ond yna... digwyddodd y wyrth fawr: deffrôdd yr Almaen a dilyn arwydd y goleuni, y swastica.

Ffynhonnell 6

Merched yng ngwisgoedd yr Oes Efydd yn cymryd rhan mewn gŵyl gynhaeaf yn 1933.

Cwestiynau

Gweithiwch mewn grwpiau o bump.

1 Ar ôl i bob un ddewis un allan o Ffynonellau 2-6, astudiwch eich ffynhonnell, yna nodwch:
  - **a** unrhyw beth sy'n dangos cred mewn Duw Cristnogol.
  - **b** unrhyw beth sy'n dangos prinder cred, neu ddiffyg cred, yn y Duw Cristnogol.
  - **c** unrhyw beth sy'n dangos cred anghristnogol.
  - **ch** unrhyw beth sy'n debyg i gred Gristnogol heb fod yn Gristnogol.

2 Defnyddiwch eich nodiadau i baratoi sgwrs fer, a gymer funud i'w thraddodi i'ch grŵp neu eich dosbarth, gan esbonio barn y Natsïaid am Gristnogaeth.

Propoganda a 'rheoli meddyliau'

Yn yr Almaen Natsïaidd, nid oedd rhyddid gan bobl i siarad, ysgrifennu na meddwl. Sefydlwyd Gweinyddiaeth Wybodaeth a Phropaganda, a'i swyddogaeth hi oedd rheoli syniadau a chredoau. Ei phennaeth oedd Doctor Joseph Goebbels.

Ffynhonnell 1

Y Weinyddiaeth Wybodaeth a Phropaganda a gyhoeddodd y poster hwn sy'n annog pobl i brynu radio Derbynnydd y Bobl (*Volksempfänger*). Neges y poster yw 'Mae'r Almaen gyfan yn clywed y Führer gyda Derbynnydd y Bobl'.

Y wasg

Defnyddiodd Goebbels yr holl dechnegau propaganda y gwyddai amdanynt. Yn gyntaf, gofalodd fod y wasg yn lledaenu syniadau Natsïaidd. Rhoddwyd papurau newydd nad oeddent yn Natsïaidd dan reolaeth cwmni cyhoeddi Natsïaidd nes bod dwy ran o dair o'r holl bapurau newydd dan reolaeth y wasg honno. Dywedid bob dydd wrth olygyddion y papurau newydd pa newyddion y caent ganiatâd i'w cyhoeddi.

Radio

Y cam nesaf oedd mynnu bod pob gorsaf radio dan reolaeth Natsïaidd ac yn darlledu syniadau Natsïaidd dan gyfarwyddyd Goebbels. Cafodd setiau radio 'Derbynnydd y Bobl' eu gwerthu'n rhad, ac erbyn 1939 roedd saith cartref o bob deg wedi prynu un ohonynt. I ofalu bod pobl yn gallu gwrando ar y radio pan nad oeddent gartref, roedd rhaid i weithleoedd, tai bwyta a mannau cyhoeddus eraill roi eu radio ymlaen pan ddarlledid rhaglenni pwysig. O 1938, cafodd uchelseinyddion eu gosod ar bolion strydoedd mewn sawl dinas.

Ralïau ac ymgyrchoedd

Yn drydydd, defnyddiodd Goebbels ralïau ac ymgyrchoedd i gryfhau teyrngarwch y bobl i'r Blaid. Bob blwyddyn byddai cannoedd o filoedd o bobl yn tyrru i rali enfawr yn Nuremberg i weld gorymdeithiau trawiadol (gw. t.72). Rhwng y ralïau, byddai canghennau lleol yr SA neu grwpiau Ieuenctid Hitler yn ymgyrchu i godi arian i'r Blaid. Yr ymgyrchoedd a ddigwyddai amlaf oedd y 'Suliau un llestr': byddai disgwyl i deuluoedd goginio eu cinio dydd Sul mewn un llestr a rhoi'r arian a gâi ei arbed i gasglwyr a ddeuai i'w nôl yn y prynhawn.

Ffynhonnell 2
Myfyrwyr a Chyrchfilwyr yn llosgi llyfrau gan Iddewon a Chomiwnyddion yn Berlin ym Mai 1933.

Camhysbysu

Weithiau câi propaganda ei ledaenu ar ffurf celwyddau. Er enghraifft, drwy 'bropaganda sibrydion' câi sïon anwir eu lledaenu drwy gyfrwng llythyrau cadwyn. Hefyd câi gwerslyfrau plant ysgol eu hailysgrifennu er mwyn iddynt gynnwys syniadau Natsïaidd.

Cyfyngu ar ryddid mynegiant

Yn ogystal â phropaganda, defnyddiai Goebbels sensoriaeth i reoli meddyliau. Y cyfrwng mynegiant cyntaf i gael ei sensro oedd llyfrau. Dan anogaeth Goebbels, fe losgodd myfyrwyr yn Berlin 20,000 o lyfrau gan Iddewon a Chomiwnyddion mewn coelcerth anferth yn 1933. Yn y llyfrgelloedd, cafodd llyfrau gwaharddedig eu tynnu oddi ar y silffoedd. Bu cyrchoedd ar siopau llyfrau hefyd.

Rhoddwyd sensoriaeth ar waith ym myd adloniant a diwylliant yn ogystal. Gwaharddwyd cerddoriaeth jazz a'r ddawns 'jitterbug' gan mai pobl dduon a'u dyfeisiodd. Câi llawer o gelfyddyd fodern ei chondemnio am fod yn 'ddirywiedig' a'i thaflu allan o orielau celf. Câi ffilmiau a dramâu eu harchwilio i weld a oedd ynddynt noethni neu ryw.

Roedd sensoriaeth yn ymyrryd ar sgyrsiau personol hyd yn oed. Drwy'r 'Ddeddf yn Erbyn Clebran Maleisus' yn 1934, roedd adrodd jôcs a straeon gwrth-Natsïaidd yn drosedd. A'r gosb am droseddu yn yr achos hwn oedd dirwy a charchar.

Sut y llwyddodd y Natsïaid i reoli meddyliau?

Gan fod y wasg, y radio, y sinemâu, y theatrau a'r llyfrau i gyd dan reolaeth y Natsïaid, câi mwyafrif yr Almaenwyr eu dylanwadu mewn rhyw fodd gan syniadau Natsïaidd. Beth oedd i gyfrif am lwyddiant Goebbels yn ei waith? Pam roedd ei bropaganda mor effeithiol?

Un o'r rhesymau dros lwyddiant Goebbels oedd ei allu i ledaenu propaganda ar raddfa genedlaethol. Gwelir hynny yn Ffynonellau 3 a 4. Datganiad a gyhoeddwyd mewn papur newydd lleol yn 1934 yw Ffynhonnell 3.

Ffynhonnell 3

O'r papur newydd lleol yn Neu-Isenberg, ger Frankfurt, ar 16 Mawrth 1934. Dyfynnir yn J. Noakes a G. Pridham (goln), *Nazism 1919-1945*, 1984.

Eich sylw! Mae'r Führer yn siarad ar y radio. Ar ddydd Mercher 21 Mawrth mae'r Führer yn siarad ar bob gorsaf radio Almaenig o 11.00 tan 11.50 a.m. ... Mae pencadlys rhanbarthol y Blaid wedi gorchymyn i bob perchennog ffatri, siopau mawrion, swyddfeydd, siopau, tafarndai a blociau o fflatiau osod uchelseinyddion awr cyn y darllediad...fel bod y gweithlu i gyd yn cael clywed...

Ffynhonnell 4

Darlun gan Paul Mathias Padua, *Mae'r Führer yn Siarad* (1937), yn dangos teulu cyfan yn gwrando ar ddarllediad radio gan Hitler. Dyma'r math o gelfyddyd roedd yr awdurdodau Natsïaidd yn ei chymeradwyo.

Ond fe ddefnyddiai Goebbels bropaganda ar raddfa leol yn ogystal â graddfa genedlaethol, fel mae Ffynhonnell 5 yn dangos. Daw'r dyfyniad o gyfweliad gydag un o gynorthwywyr Goebbels. Recordiwyd y cyfweliad yn 1970 gan hanesydd Americanaidd.

Ffynhonnell 5

Doctor Leopold Gutterer, Ysgrifennydd Gwladol yn y Weinyddiaeth Bropaganda, mewn cyfweliad â Jay W. Baird yn *The Mythical World of Nazi War Propaganda 1939-1945*, 1974.

Roedd Goebbels yn bropagandydd clyfar iawn...ar achlysuron arbennig. Digwyddodd un enghraifft drawiadol ar Noswyl Nadolig, 1933, mewn rhan o Berlin oedd yn gefnogol iawn i Gomiwnyddiaeth ac yn elyniaethus tuag at Natsïaeth. Gorchmynnodd y Weinyddiaeth fod teuluoedd y rhan fwyaf o'r Comiwnyddion a gafodd eu carcharu yn Dachau* i gael eu casglu ynghyd. Rhoddodd swyddogion y Blaid felysion, teganau a dillad i'r gwragedd a'r plant, tra oedd un o fandiau'r SS yn darparu carolau Nadolig sentimental yn y cefndir. Ar yr eiliad seicolegol gywir, wrth i'r band ddechrau chwarae 'Hen Gymdeithion', daeth faniau'r SS i'r golwg a dadlwytho mintai fawr o garcharorion, a'u dychwelyd i'w teuluoedd yn ddynion rhydd — 'anrheg Nadolig oddi wrth y Führer'.

* **Dachau** Gwersyll crynhoi

Ffynhonnell 6

Neges y poster hwn yw, 'Mae'r llaw hon yn arwain y Reich. Mae Almaenwyr Ifanc yn ei dilyn yn rhengoedd yr HJ (Ieuenctid Hitler)'.

Roedd y Natsïaid yn arbennig o awyddus i ddefnyddio'u propaganda i ddylanwadu ar blant a phobl ifanc. Gellid gosod syniadau Natsïaidd nid yn unig mewn posteri fel Ffynhonnell 6 ond hefyd yn llyfrau darllen y plant. Mae Ffynhonnell 7 yn enghraifft o'r math o ddeunydd a gâi ei gyhoeddi mewn gwerslyfrau ar ôl 1933.

Ffynhonnell 7

Dyfynnir yn J. Noakes a G. Pridham (golgn), *Nazism 1919-1945*, 1984.

Cwestiwn 97. Cost cadw rhywun â salwch meddyliol yw tua 4 *Reichsmark* y dydd. Cost cadw rhywun methedig yw 5.50 RM, a 3.50 yw cost cadw troseddwr. Dim ond 4 RM y dydd a gaiff nifer o weision sifil, 3.50 a gaiff gweithwyr swyddfa. Nid yw gweithwyr di-grefft yn cael cyn lleied â 2 RM i'w teuluoedd.

a Dangoswch y ffigurau hyn gyda diagram. (Yn ôl amcangyfrifon ceidwadol, mae 300,000 o bobl â salwch meddyliol, etc., yn derbyn gofal.)
b Beth yw cyfanswm y gost o gadw'r bobl hyn, ar gost o 4 RM y pen?
c Faint o fenthyciadau priodasol 1,000 RM yr un ... y gellid eu rhoi am y swm hwn?

Cwestiynau

1 **a** Nodwch dri math o bropaganda sydd i'w gweld yn y darlun yn Ffynhonnell 4.
b Pam y gellid galw'r darlun hwn ei hun yn bropaganda?

2 Astudiwch Ffynhonnell 5. Pa mor debygol oedd hi i'r digwyddiad hwn newid barn pobl yr ardal honno ynglŷn â Natsïaeth? Esboniwch eich ateb.

3 Astudiwch Ffynhonnell 7.
a Yn eich barn chi, beth oedd dibenion yr ymarfer mathemategol hwn?
b Beth fyddai effaith yr ymarfer ar blant ysgol a roddai gynnig arno?

4 Edrychwch ar y poster yn Ffynhonnell 6.
a Sut effaith roedd yr arlunydd yn ceisio'i chreu?
b Pa ddulliau a ddefnyddiodd yr arlunydd i wneud y poster yn effeithiol?

5 Mae Ffynonellau 1-7 yn yr adran hon yn dangos saith ffordd wahanol o geisio rheoli meddyliau pobl. Dewiswch y tair ffordd a fyddai, yn eich barn chi, yn fwyaf tebygol o lwyddo i wneud hynny. Esboniwch eich ateb.

Adolygu Uned 7

Er gwaethaf y cyfyngiadau ar yr hyn a wnaent ac a ddywedent, mynnai rhai ddal ati i ddweud jôcs am Hitler a'r Natsïaid. Ond weithiau byddai cymdogion busneslyd yn cario clecs at yr awdurdodau. Drwy ddweud y jôcs cwestiwn-ac-ateb isod, bu'n rhaid i'r sawl a'u hadroddodd fynd i'r carchar. (Roedd jôcs cwestiwn-ac-ateb yn boblogaidd yn yr 1930au.) Darllenwch nhw ac yna atebwch y cwestiynau isod.

Ffynhonnell 1

David Welch, *Propaganda and the German Cinema*, 1983.

Cwestiwn: Sut un yw'r Aryad?
Ateb: Mae'r Aryad yn dal fel Hitler, yn olau o bryd fel Goebbels ac yn denau fel Goering*.

* **yn dal fel Hitler**... Nid oedd Hitler yn dal (ond o daldra cyffredin), gwallt tywyll oedd gan Goebbels, ac roedd Goering yn dew.

Ffynhonnell 2

William Shirer, *Berlin Diary*, 1941.

Cwestiwn: Mae awyren sy'n cludo Hitler, Goering a Goebbels yn cwympo. Mae'r tri yn cael eu lladd? Pwy a achubir?
Ateb: Pobl yr Almaen.

Ffynhonnell 3

Marlis G. Steinart, *Hitler's War and the Germans*, 1977.

Cwestiwn: Ydych chi wedi darllen beth yw'r diffiniad o fenyn yn y geiriadur newydd?
Ateb: Rhywbeth a gâi ei daenu ar fara yn nyddiau Gweriniaeth Weimar.

Cwestiynau

1 **a** Mae'r ddwy jôc gyntaf yn sôn am Hitler, Goebbels a Goering. Beth oedd eu swyddi nhw yn y llywodraeth?
b Mae Ffynhonnell 2 yn awgrymu y byddai wedi bod o fantais i'r Almaenwyr pe bai Hitler, Goebbels a Goering wedi cael eu lladd mewn damwain awyren. Ar gyfer pob un o'r tri dyn, rhowch enghreifftiau o'u gweithredoedd a wnâi i bobl deimlo fel hyn.

2 Mae Ffynhonnell 1 yn cyfeirio at Aryaid.
a Beth yw ystyr y term 'Aryad'?
b Sut y mae'r jôc hon yn awgrymu bod rhai Almaenwyr heb gael eu perswadio gan syniadau Natsïaidd am hil?

3 Mae Ffynhonnell 3 yn awgrymu nad oedd hi'n bosibl cael menyn ers dyddiau Gweriniaeth Weimar. Gan ddefnyddio tudalennau 86-87 i gael gwybodaeth, esboniwch pam roedd pobl yn credu hynny.

4 Cafodd y bobl a ddywedodd y jôcs hyn eu carcharu. Pam roedd yr awdurdodau Natsïaidd yn credu bod rhaid eu carcharu?

Uned 8. Dinistrio unbennaeth: trais Natsïaidd a rhyfel, 1935-45

Wrth iddo ymwneud â gwledydd eraill, roedd gan Hitler dri nod. Y nod cyntaf oedd ailfeddiannu'r tir a gymerwyd oddi ar yr Almaen yn 1919. Yr ail nod oedd uno — mewn un wlad — yr holl bobloedd a siaradai Almaeneg. Y trydydd nod oedd cael rhagor o dir i'r Almaen.

Anelai Hitler at gyflawni'r tri nod, yn gyntaf drwy ailarfogi'r Almaen ac yn ail drwy gymryd tir oddi ar wledydd cyfagos. Arweiniodd hynny at ryfel yn 1939 pan geisiodd Prydain a Ffrainc ei atal. Yn y rhyfel byd a ddilynodd, fe ehangodd yr Almaen gan mai hi oedd y wlad fwyaf a chryfaf yn Ewrop, cyn iddi gael ei gorchfygu yn 1945.

Mae'r uned hon yn dangos sut yr ehangodd yr Almaen, ac yn edrych ar y modd yr effeithiwyd ar yr Almaenwyr, yn ogystal â'r bobl a orchfygwyd ganddynt, gan chwe blynedd o ryfel.

Mae'r poster propaganda hwn o 1944 yn datgan y byddai bechgyn 17 oed yn cael galwad i wasanaethu yn y lluoedd arfog. Gwelir aelodau o Fudiad Ieuenctid Hitler yn gorymdeithio i ryfel, gyda chefnogaeth tanc Panzer.

Ehangu ac ymosod, 1935-39

Ffynhonnell 1

Mae'r poster hwn o arddangosfa Natsïaidd yn dangos Almaenwyr mewn gwisgoedd cenedlaethol o'r tiroedd o gwmpas yr Almaen. Dywed y geiriau, 'Rhai o'r hen Ymerodraeth Almaenig yn dychwelyd adref.'

Pleidlais gwlad yn y Saar, 1935

Dechreuodd Hitler ehangu'r Almaen mewn modd democrataidd yn nhiroedd y Saar — un o feysydd glo pwysicaf yr Almaen. Yn 1919 roedd Cytundeb Versailles wedi gosod tiroedd y Saar dan reolaeth Cynghrair y Cenhedloedd a gadael i Ffrainc reoli ei phyllau glo. Ymhen 15 mlynedd, gallai pobl y Saar ddewis aros dan reolaeth y Cynghrair, dychwelyd i'r Almaen neu dderbyn dinasyddiaeth Ffrengig. Yn 1935, pan gynhaliodd y Cynghrair y 'bleidlais gwlad', pleidleisiodd pobl y Saar, gyda mwyafrif o naw allan o ddeg, dros berthyn i'r Almaen. Felly, cafodd yr ardal ei dychwelyd i reolaeth Almaenig.

Ailarfogi'r Rheindir

Roedd Cytundeb Versailles wedi gwneud y Rheindir yn ardal ddifilwyr. Roedd hyn yn golygu na châi byddin yr Almaen fynd yn nes na 50 kilometr at Afon Rhein. Cadarnhawyd hynny gan Gytundebau Locarno yn 1926 (gw. t.45).

Roedd llawer o'r Almaenwyr yn casáu'r ardal ddifilwyr. Roedd trefniant o'r fath yn loes i'w balchder cenedlaethol a gadawai eu gwlad yn agored i ymosodiad. Yn 1936 felly fe anfonodd Hitler 32,000 o filwyr i mewn i'r Rheindir er mwyn ailfilwreiddio'r ardal.

Y risg a oedd ynghlwm wrth y penderfyniad hwn oedd y gallai arwain at ryfel. Dywedai Cytundebau Locarno y gallai'r Cynghreiriaid ddefnyddio grym i atal milwyr yr Almaen rhag mynd i mewn i'r Rheindir. Fodd bynnag, roedd y Ffrancwyr yng nghanol argyfwng gwleidyddol ar y pryd. A theimlai'r Prydeinwyr mai dim ond 'mynd i mewn i'w gardd gefn ei hun' a wnaeth yr Almaen. Nid oedd Ffrainc na Phrydain am fynd i ryfel dros y Rheindir.

Undod ag Awstria, 1938

Nod nesaf Hitler oedd uno'r Almaen ag Awstria. Gan fod hynny wedi cael ei wahardd gan Gytundeb Versailles, roedd rhaid iddo weithredu'n ofalus iawn. Dechreuodd drwy orchymyn i Blaid Natsïaidd Awstria godi helynt drwy drefnu gwrthdystiadau ffyrnig a ffrwydro bomiau. Ei nod oedd creu'r argraff na allai llywodraeth Awstria reoli'r wlad.

Fel roedd Hitler wedi ei gynllunio, ni allai heddlu Awstria atal y trais, felly dywedodd Hitler ei fod am anfon byddin yr Almaen i mewn i Awstria 'i adfer trefn'. Protestiodd arweinydd Awstria ac ymdrechodd hyd yr eithaf i amddiffyn ei wlad rhag y bygythiad. Methu wnaeth ei ymdrechion, ac ymddiswyddodd. Cymerwyd ei le gan un o Natsïaid Awstria a gofynnodd hwnnw ar unwaith i Hitler anfon milwyr i mewn i Awstria i adfer trefn.

Aeth byddin yr Almaen i mewn i Awstria ar 12 Mawrth 1938. Ar 13 Mawrth, rhoddodd Hitler ddatganiad a ddywedai fod y ddwy wlad wedi cael eu huno (*Anschluss*) yn yr 'Almaen Fwyaf'.

Goresgyn Gwlad y Swdetiaid, 1938

Defnyddiodd Hitler ddulliau tebyg pan feddiannodd Wlad y Swdetiaid. Rhan o Tsiecoslofacia oedd Gwlad y Swdetiaid, ac roedd tair miliwn o bobl a siaradai Almaeneg yn byw yno. Gorchmynnodd Hitler i blaid o natur Natsïaidd, Plaid y Swdetiaid, gael ei sefydlu i wneud gofynion amhosibl am annibyniaeth — gofynion y byddai'r Tsieciaid yn siŵr o'u gwrthod. Yna byddent yn cynnal terfysgoedd a phrotestiadau er mwyn creu'r argraff na allai'r Tsieciaid reoli Gwlad y Swdetiaid. Wedyn byddai Hitler yn anfon byddin yr Almaen 'i adfer trefn'.

Gwaetha'r modd o safbwynt y Tsieciaid, nid oedd un wlad arall yn fodlon eu cynorthwyo i ymladd yn erbyn y bygythiad hwn. Roedd gan Brydain a Ffrainc y grym angenrheidiol i'w cynorthwyo, ond roedd y gwledydd hynny yn dilyn polisi dyhuddo yn eu perthynas â'r Almaen. O ganlyniad, fe gytunon nhw mewn cynhadledd ym München y dylai'r Tsieciaid roi Gwlad y Swdetiaid i'r Almaen. Ac yn Hydref 1938 fe gyflawnwyd hynny.

Ffynhonnell 2

Torfeydd yn cymeradwyo wrth i Hitler fynd i mewn i Wlad y Swdetiaid yn Hydref 1938.

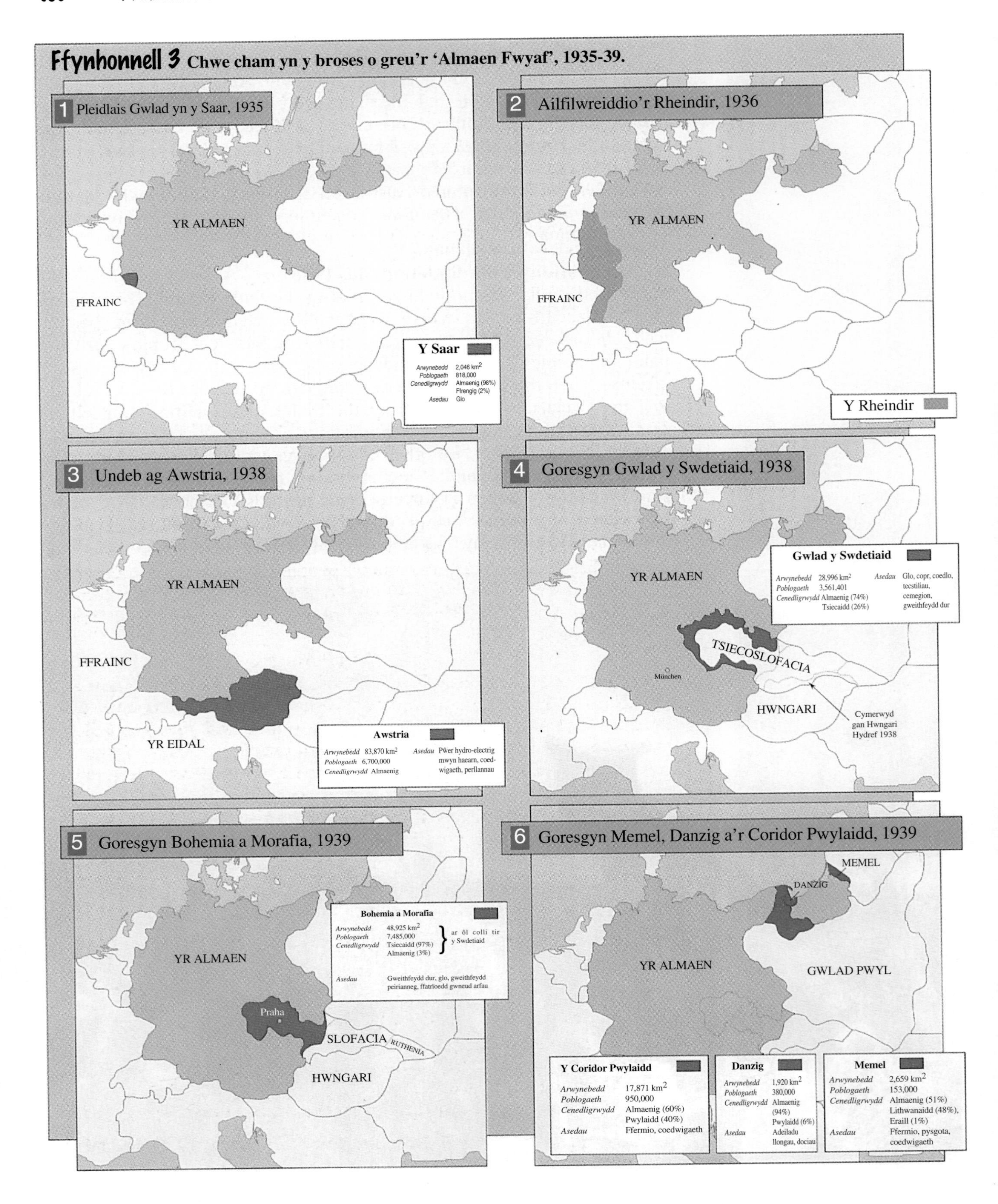
Ffynhonnell 3 Chwe cham yn y broses o greu'r 'Almaen Fwyaf', 1935-39.
1 Pleidlais Gwlad yn y Saar, 1935
YR ALMAEN
FFRAINC
Y Saar
Arwynebedd 2,046 km²
Poblogaeth 818,000
Cenedligrwydd Almaenig (98%)
Ffrengig (2%)
Asedau Glo
2 Ailfilwreiddio'r Rheindir, 1936
YR ALMAEN
FFRAINC
Y Rheindir
3 Undeb ag Awstria, 1938
YR ALMAEN
FFRAINC
YR EIDAL
Awstria
Arwynebedd 83,870 km²
Poblogaeth 6,700,000
Cenedligrwydd Almaenig
Asedau Pŵer hydro-electrig mwyn haearn, coed-wigaeth, perllannau
4 Goresgyn Gwlad y Swdetiaid, 1938
Gwlad y Swdetiaid
Arwynebedd 28,996 km²
Poblogaeth 3,561,401
Cenedligrwydd Almaenig (74%)
Tsiecaidd (26%)
Asedau Glo, copr, coedlo, tecstiliau, cemegion, gweithfeydd dur
YR ALMAEN
TSIECOSLOFACIA
München
HWNGARI
Cymerwyd gan Hwngari Hydref 1938
5 Goresgyn Bohemia a Morafia, 1939
Bohemia a Morafia
Arwynebedd 48,925 km²
Poblogaeth 7,485,000
Cenedligrwydd Tsiecaidd (97%)
Almaenig (3%)
ar ôl colli tir y Swdetiaid
Asedau Gweithfeydd dur, glo, gweithfeydd peirianneg, ffatrïoedd gwneud arfau
YR ALMAEN
Praha
SLOFACIA
RUTHENIA
HWNGARI
6 Goresgyn Memel, Danzig a'r Coridor Pwylaidd, 1939
MEMEL
DANZIG
YR ALMAEN
GWLAD PWYL
Y Coridor Pwylaidd
Arwynebedd 17,871 km²
Poblogaeth 950,000
Cenedligrwydd Almaenig (60%)
Pwylaidd (40%)
Asedau Ffermio, coedwigaeth
Danzig
Arwynebedd 1,920 km²
Poblogaeth 380,000
Cenedligrwydd Almaenig (94%)
Pwylaidd (6%)
Asedau Adeiladu llongau, dociau
Memel
Arwynebedd 2,659 km²
Poblogaeth 153,000
Cenedligrwydd Almaenig (51%)
Lithwanaidd (48%),
Eraill (1%)
Asedau Ffermio, pysgota, coedwigaeth

Goresgyn Bohemia a Morafia, 1939

Ymdrin â gwlad y Swdetiaid a wnâi Cytundeb München. Ni soniai'r cytundeb hwnnw am y ddwy filiwn o Almaenwyr oedd yn byw yn nhaleithiau Tsiecaidd Bohemia a Morafia. Nod nesaf Hitler oedd dod â nhw dan reolaeth yr Almaen.

Gan ddefnyddio'r un tactegau ag o'r blaen, honnodd Hitler fod Almaenwyr Bohemia a Morafia yn cael eu cam-drin gan y Tsieciaid. Dywedodd fod llywodraeth y Tsieciaid wedi colli rheolaeth ac y byddai byddin yr Almaen yn cael ei hanfon i mewn i adfer trefn. Pan fygythiodd Hitler fomio'r brifddinas, ildiodd Arlywydd y Tsieciaid a gwahodd byddin yr Almaen i feddiannu'r wlad.

Gorymdeithiodd milwyr yr Almaen i mewn i Praha (Prâg) ar 15 Mawrth 1939. Drannoeth daeth Bohemia a Morafia yn 'ddiffynwriaeth' (protectorate) dan reolaeth yr Almaen. Arhosodd talaith Slofacia yn annibynnol ond bu'n rhaid iddi hithau arwyddo cytundeb yn derbyn amddiffyniad yr Almaen. Rhoddwyd talaith Ruthenia i Hwngari.

Memel

Ar ôl distrywio Tsiecoslofacia, canolbwyntiodd Hitler ar y gogledd. Ar 23 Mawrth 1939 fe orymdeithiodd milwyr Almaenig i mewn i Memel, porthladd Almaenig a gymerwyd gan Lithwania yn 1923. Meddiannwyd y porthladd a'r tir o'i gwmpas a'u cyfuno â'r Almaen.

Danzig a'r Coridor Pwylaidd

Roedd Hitler yn awyddus i feddiannu'r tir yn y gogledd a rannai'r Almaen yn ddwy ran. Gorllewin Prwsia oedd enw'r Almaenwyr ar y tir hwnnw; y Coridor Pwylaidd oedd yr enw a ddefnyddiai'r Pwyliaid. Er mai Almaenwyr oedd y rhan fwyaf o bobl a oedd yn byw yno, roedd Cytundeb Versailles wedi rhoi'r tir i'r Pwyliaid fel y gallent gyrraedd porthladdoedd y Môr Baltig. Roedd y cytundeb hefyd wedi rhoi porthladd Almaenig Danzig dan reolaeth Cynghrair y Cenhedloedd.

Yn Ebrill 1939 mynnodd Hitler fod porthladd Danzig yn cael ei ddychwelyd yn ogystal â ffordd a rheilffordd ar draws y Coridor Pwylaidd. Dyna pryd y sylweddolodd y Prydeinwyr a'r Ffrancwyr fod eu polisi dyhuddo wedi methu ag atal Hitler rhag mynnu mwy o dir. Gollyngwyd y polisi a rhoddwyd gwarant i'r Pwyliaid y caent eu hamddiffyn rhag unrhyw ymosodiad Almaenig.

Ni ddychrynwyd Hitler gan y warant Bwylaidd. Rhoddodd orchymyn i'r fyddin baratoi ar gyfer goresgyn Gwlad Pwyl. Er mwyn gofalu na fyddai'r Undeb Sofietaidd yn ceisio atal y goresgyniad, arwyddodd Hitler gytundeb gyda'r arweinwyr Sofietaidd — cytundeb i beidio ag ymosod — ac addawodd rannu Gwlad Pwyl rhwng yr Almaen a'r Sofietiaid.

Oherwydd fod yr Undeb Sofietaidd yn niwtral, roedd Hitler yn sicr na fyddai Prydain yn barod i anfon ei byddinoedd i ymladd yn ei erbyn. Felly, ar 1 Medi 1939, rhoddodd Hitler orchymyn i'w fyddin oresgyn Gwlad Pwyl.

Cwestiynau

1 Edrychwch ar Ffynhonnell 3.
   a Pa diroedd a feddiannodd yr Almaen rhwng 1935 ac 1939?
   b Ym mha ardaloedd y gweithredodd Hitler mewn modd ymosodol er mwyn cael yr hyn a ddymunai?
   c Ym mha ardaloedd y gallai Hitler gyfiawnhau ei weithredoedd drwy ddweud ei fod yn cymryd tir lle roedd Almaenwyr yn y mwyafrif?
   ch Pa fudd a gafodd yr Almaen drwy feddiannu'r tiroedd hyn?

2 Cymharwch fap 1 â map 6. Disgrifiwch y gwahaniaeth rhwng yr Almaen yn 1939 a'r Almaen yn 1935.

Rhyfel a goresgyniad, 1939-42

Cwymp Gwlad Pwyl
Goresgynnwyd Gwlad Pwyl gan yr Almaen mewn modd cyflym ac angheuol. Defnyddiai lluoedd arfog yr Almaen ddull newydd o ryfela sef *blitzkrieg*, neu 'ryfel mellten'. Gorchfygwyd byddin Gwlad Pwyl gan luoedd arfog yr Almaen mewn wythnos. Erbyn canol Hydref 1939 roeddent wedi meddiannu hanner y wlad.

Y rhyfel yn ymledu
Rhoddodd Prydain a Ffrainc ddatganiad o ryfel yn erbyn yr Almaen ar 3 Medi. Er hynny, ni wnaethant ymosod tan Ebrill 1940. Er mwyn atal mwyn haearn rhag cyrraedd yr Almaen, fe osododd Llynges Frenhinol Prydain ffrwydron yn y môr ar hyd arfordir Norwy. Roedd rhaid i'r Almaenwyr gael mwyn haearn i wneud arfau; felly, yn Ebrill 1940, aeth byddin yr Almaen i mewn i Norwy a Denmarc er mwyn diogelu llwybr cyflenwad y mwyn haearn.

Cwymp Gorllewin Ewrop
Yna trodd Hitler tua'r gorllewin. Ar 10 Mai, gan ddefnyddio'r dull *blitzkrieg* o ryfela, aeth byddin yr Almaen i mewn i'r Iseldiroedd a Gwlad Belg, a'u gorchfygu mewn tair wythnos. Yna aethant i mewn i Ffrainc, gan orchfygu byddin Ffrainc a gorfodi byddin Prydain i gilio'n ôl o Dunkirk. Ar 22 Mehefin ildiodd Ffrainc a chafodd ei rhannu'n ddwy. Cafodd gogledd Ffrainc ei meddiannu gan yr Almaenwyr. Arhosodd De Ffrainc yn annibynnol ond câi ei rheoli gan lywodraeth bro-Almaenig yn ninas Vichy.

Prydain yn goroesi
Erbyn canol yr 1940au roedd lluoedd Hitler yn rheoli rhan helaeth o Ewrop. Ei darged nesaf oedd Prydain, yr unig wlad a oedd mewn rhyfel ag ef o hyd. Roedd lluoedd arfog yr Almaen eisoes yn paratoi i oresgyn de Lloegr, ond cawsant eu hatal rhag cyflawni eu bwriad pan orchfygwyd llu awyr yr Almaen gan y Llu Awyr Brenhinol ym Mrwydr Prydain yn haf 1940. Heb gymorth o'r awyr, roedd llynges yr Almaen yn ddiamddiffyn a gorfodwyd Hitler i ddileu'r ymosodiad.

Rhyfel yn ne-ddwyrain Ewrop
Yna bu'n rhaid i Hitler roi ei sylw i dde Ewrop lle roedd ei gynghreiriad, Mussolini, arweinydd yr Eidal, mewn trafferth. Roedd Mussolini wedi ymosod ar wlad Groeg yn Hydref 1940, gan obeithio cael rheolaeth ar ardal y Balcanau. Pan gyrhaeddodd lluoedd Prydain i gynorthwyo'r Groegiaid yn 1941, penderfynodd Hitler fod rhaid iddo gynorthwyo Mussolini. Ofnai y byddai awyrennau Prydain yn gallu bomio meysydd olew yn România — ffynhonnell olew bwysig i'r Almaen. Felly aeth lluoedd yr Almaen i mewn i ardal y Balcanau yng ngwanwyn 1941, gan feddiannu Iwgoslafia a Groeg.

Ymosod ar yr Undeb Sofietaidd
Ym Mehefin 1941 fe anfonodd Hitler ei filwyr i mewn i'r Undeb Sofietaidd. Drwy wneud hynny, fe dorrodd y cytundeb i beidio ag ymosod. Nid oedd lluoedd y Sofietiaid yn barod ar gyfer yr ymosodiad ac fe'u gorfodwyd i gilio'n ôl ymhell i mewn i'r Undeb Sofietaidd, gan ildio rhannau enfawr i'r Almaenwyr. Erbyn diwedd 1941, roedd lluoedd Hitler wedi meddiannu gorllewin yr Undeb Sofietaidd i gyd, ac roeddent yn barod i ymosod tua'r de-ddwyrain i mewn i feysydd olew cyfoethog y Cawcasws.

Cwestiynau

Cymharwch y ddau fap gyferbyn. Yna rhestrwch y newidiadau yn Ewrop dan y penawdau a ganlyn:

- **a** gwledydd a ddiflannodd
- **b** gwledydd a newidiodd
- **c** gwledydd neu ardaloedd newydd
- **ch** gwledydd a feddiannwyd gan yr Almaen
- **d** siâp yr Almaen

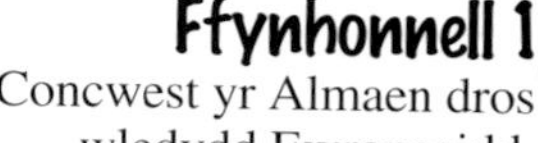

Ffynhonnell 1

Concwest yr Almaen dros wledydd Ewropeaidd, 1939-41.

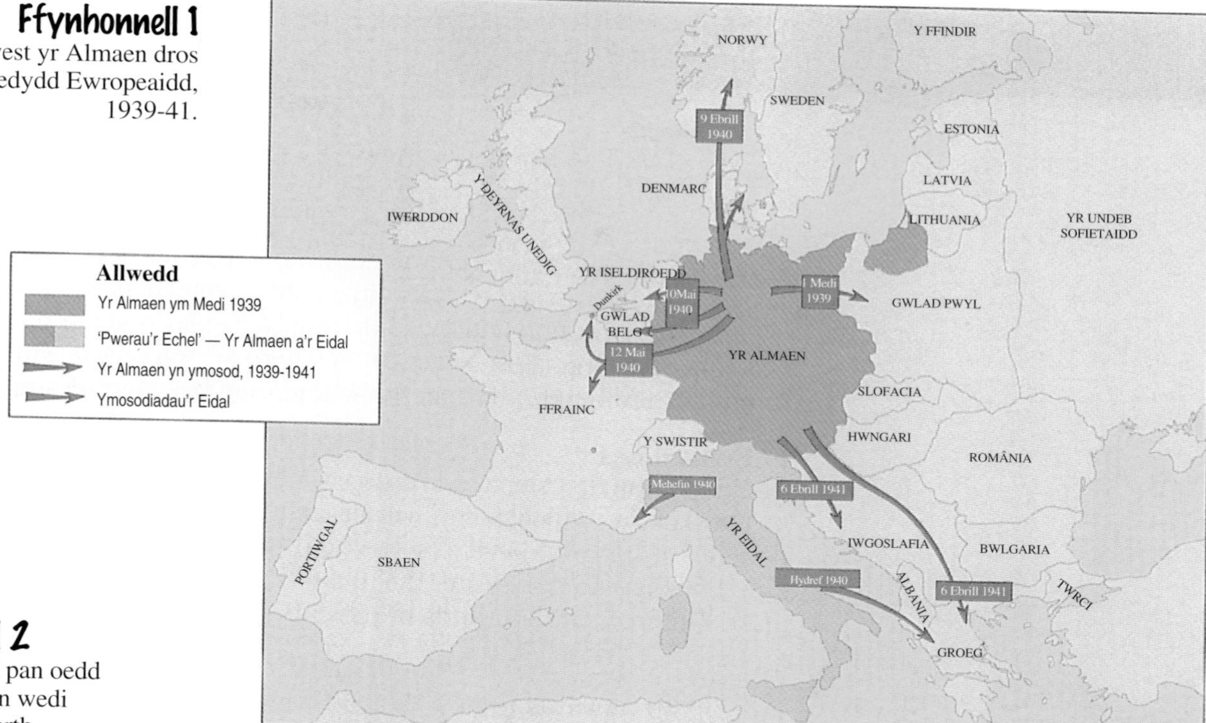

Ffynhonnell 2

Ewrop yn 1942 pan oedd grym yr Almaen wedi cyrraedd ei anterth.

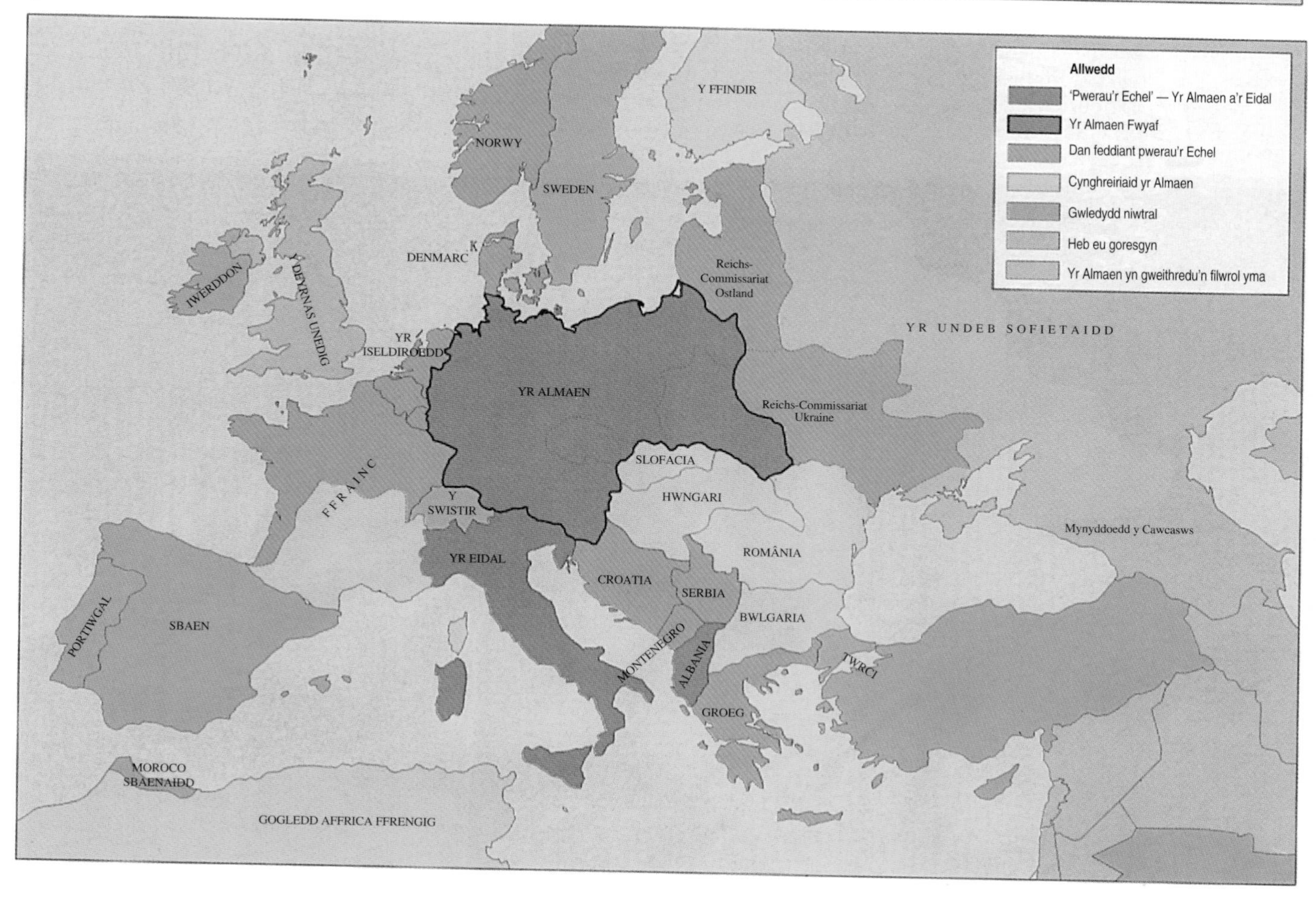

Difodi

Fel y gwelsoch (gw. t.76), fe gredai'r Natsïaid y gellid rhannu pobl i ddwy hil, rhai yn 'uwchraddol', y gweddill yn 'israddl'. Drwy lygaid y Natsïaid, yr 'hil lywodraethol' oedd yr hil 'Aryaidd' ond roedd yr Iddewon yn hil gwbl israddol, yn is na phawb arall. Felly fe luniwyd deddfau i gyfyngu ar weithgareddau'r Iddewon. Collodd yr Iddewon yr hawl i fod yn ddinasyddion Almaenig. Fe gollon nhw eu swyddi gyda'r llywodraeth. A chawsant eu gorfodi i wisgo'r seren felen mewn lleoedd cyhoeddus. Ond nid oedd hynny'n ddigon gan y Natsïaid. Yn 1939, pan ddechreuodd y rhyfel, aethant ati i lofruddio Iddewon a phobl eraill a ystyrid yn 'annymunol'.

Ewthanasia

Cymerasant y cam cyntaf tuag at lofruddio torfol pan roddodd Hitler y gorchymyn i ddefnyddio ewthanasia, a elwir gan rai yn 'ladd tosturiol', yn achos cleifion nad oedd gwellhad iddynt mewn ysbytai. Dros y ddwy flynedd ganlynol, lladdwyd tua 70,000 o gleifion dan law eu meddyg. Ar ôl i Wlad Pwyl gael ei goresgyn, fe laddodd yr SS filoedd o gleifion mewn ysbytai meddwl yng Ngwlad Pwyl.

Getoau

O 1940 ymlaen gorfodwyd Iddewon yng Ngwlad Pwyl i fyw mewn getoau. Rhannau caeëdig o drefi a dinasoedd oedd y rhain, ac ni châi'r Iddewon eu gadael. Bu'n rhaid i'r 400,000 o Iddewon yn Warzawa (Warsaw), er enghraifft, fyw mewn ardal nad oedd yn fwy na 2% o faint y ddinas. Wedi'u caethiwo mewn lle mor fach, heb lwybr dihangfa, cafodd cannoedd o filoedd o Iddewon Warzawa eu llwgu i farwolaeth dros y pedair blynedd ganlynol.

Ffynhonnell 1

Mae'r ffotograff hwn, a gymerwyd gan filwr Almaenig, yn dangos Grŵp Gweithredu Arbennig yn gorfodi gwragedd a merched tref o'r enw Dvinsk i ddiosg eu dillad cyn eu saethu.

Ffynhonnell 2
Yn y ffotograff hwn gwelir Iddewon o Hwngari. Mae'r trên yn y cefndir wedi eu cludo i'r gwersyll crynhoi. Newydd gyrraedd y maent, ac fe'u rhennir nawr yn ddau grŵp: y rhai a fydd yn caethlafurio yn y gwersyll, a'r rhai a leddir yn y siambrau nwy.

Grwpiau Gweithredu Arbennig
Ar ôl yr ymosodiad ar yr Undeb Sofietaidd yng Ngorffennaf 1941, bu mwy a mwy o lofruddio torfol. Wrth i fyddinoedd yr Almaen fynd i mewn i'r Undeb Sofietaidd, fe'u dilynid gan 'Grwpiau Gweithredu Arbennig' yr SS. Roeddent wedi cael gorchmynion i ladd yr Iddewon ym mhob tref a phentref a gâi eu gorchfygu. Byddent yn gorfodi cymunedau cyfain o Iddewon i ymgasglu mewn un lle, eu gorfodi i ddadwisgo ac yna eu saethu i mewn i feddau mawr (gw. Ffynhonnell 1). Byddai rhai o'r Grwpiau Gweithredu Arbennig yn cloi'r Iddewon mewn lorïau a'u gorfodi i anadlu nwy carbon monocsid i'w lladd yn y modd hwnnw.

Yr Ateb Terfynol
Yn 1942, pan oedd y rhan fwyaf o Ewrop dan reolaeth Natsïaidd, fe gynhaliodd arweinwyr y Natsïaid gynhadledd yn Wannsee, ger Berlin, i drafod yr hyn a alwent yn 'ateb terfynol i'r broblem Iddewig'. Yng Nghynhadledd Wannsee penderfynwyd llofruddio pob Iddew yn Ewrop, un ai drwy eu lladd â gwaith neu drwy eu dienyddio. Erbyn 1945, o ganlyniad i'r penderfyniad hwn, roedd tua chwe miliwn o Iddewon wedi cael eu llofruddio. Sut y gallai'r Natsïaid gyflanwi'r fath drosedd erchyll?

Sut y gellid cyflawni'r fath drosedd?

Amcangyfrifid bod 11 miliwn o Iddewon yn byw yn Ewrop, ac i'w lladd fe sefydlodd yr SS bump o 'wersylloedd angau' mewn ardaloedd anghysbell yng Ngwlad Pwyl. Enwau'r gwersylloedd oedd Belzec, Treblinka, Sobibor, Chelmno, ac Auschwitz-Birkenau. Roedd cysylltiad rheilffordd rhwng pob un ohonynt a gweddill Ewrop. Câi'r Iddewon a oedd wedi'u dal eu cludo i'r gwersylloedd mewn trenau hir o wagenni nwyddau (gw. Ffynhonnell 2).

Pan gyrhaeddai un o'r trenau y gwersyll angau, dywedid wrth y carcharorion eu bod am gael ymolchi mewn cawod. Caent orchymyn i ddadwisgo a chymryd cawod yn yr ystafelloedd ymolchi. Weithiau rhoddid sebon a llieiniau iddynt. Ond mewn gwirionedd siambrau nwy oedd yr ystafelloedd ymolchi. Mae Ffynhonnell 3 yn dweud beth a ddigwyddai ynddynt.

Ffynhonnell 3

O dystiolaeth carcharor Ffrengig yn Auschwitz, yn *Trial of the Major War Criminals before the International Military Tribunal*, cyfrol 6, Tribiwnlys Milwrol Rhyngwadol, Nuremberg, 1947.

Roeddwn yn adnabod Iddewes fechan o Ffrainc. Naw o bobl oedd yn ei theulu ond dim ond hi oedd ar ôl. Ganddi hi y cefais y manylion hyn. Cafodd ei mam a'i saith o frodyr a chwiorydd eu lladd â nwy yn syth ar ôl cyrraedd. Pan wnes i ei chyfarfod, ei gwaith oedd dadwisgo'r babanod cyn iddynt gael eu cludo i mewn i'r siambr nwy. Ar ôl i'r bobl ddadwisgo caent eu cymell i mewn i ystafell a oedd braidd yn debyg i ystafell gawod. Yna câi capsiwlau nwy eu taflu drwy dwll yn y nenfwd. Byddai un o'r dynion SS, a safai wrth bortwll, yn gwylio'r effaith a gâi'r nwy. Ymhen pump neu saith munud, ar ôl i'r nwy orffen ei waith, rhoddai'r arwydd i agor y drysau; ac âi dynion mewn mygydau nwy — carcharorion oeddent hwythau — i mewn i'r ystafell a symud y cyrff...

Wedyn deuai sgwad arbennig i dynnu allan y dannedd aur a'r dannedd gosod. Ac eto wedyn, ar ôl i'r cyrff gael eu llosgi'n ulw, byddent yn rhidyllio'r llwch i geisio adfer yr aur.

Yng ngwersyll angau Auschwitz, câi carcharorion eu rhannu'n ddau grŵp: y rheini oedd i gael eu lladd yn y siambrau nwy, a'r rheini oedd i weithio (gw. Ffynhonnell 2). Byddai llawer o'r rhai a ddewisid i weithio yn gorfod caethlafurio i godi ffatri anferth i gynhyrchu olew a rwber synthetig. Mae Ffynhonnell 4 yn awgrymu dan ba amodau roeddent yn byw a gweithio. Gwnaethpwyd y llun gan Ella Liebermann, merch ifanc yn ei harddegau. Gwelir gardiau SS yn galw enwau'r carcharorion ac yn eu cosbi a'u dirdynnu mewn gwahanol ffyrdd.

Ffynhonnell 4

Lluniad gan Ella Liebermann, carcharor yn Auschwitz, yn dangos y galwad enwau yn y gwersyll. Cafodd y lluniad ei ddarganfod gan filwyr y Cynghreiriaid ar ddiwedd y rhyfel.

Ffynhonnell 5

Tystiolaeth Primo Levi mewn ôl-nodyn yn 1987 i'w lyfrau am yr Holocost, *If This Is a Man* a *The Truce*.

Prin oedd y carcharorion a lwyddai i wrthryfela na dianc. Rhoddwyd y rheswm am hynny gan Primo Levi, Iddew Eidalaidd a oroesodd flwyddyn o weithio yn Auschwitz:

> Roedd dianc yn beth anodd a pheryglus dros ben. Roedd y carcharorion wedi'u gwanychu...gan newyn a cham-drin. Hawdd y gellid eu gweld oherwydd eu pennau moel a'u dillad streipiog, ac roedd hi'n amhosibl iddynt gerdded yn ddistaw a chyflym oherwydd y clocsiau pren a wisgent. Nid oedd ganddynt unrhyw arian, ac fel arfer ni allent siarad Pwyleg, yr iaith leol, ac nid oedd ganddynt unrhyw gysylltiadau yn yr ardal. Ar ben hynny, defnyddid dial ffyrnig yn rhybudd rhag ceisio dianc. Câi unrhyw un a geisiai ddianc ei grogi'n gyhoeddus — yn aml ar ôl arteithio creulon.

Er mai ychydig iawn o Iddewon a lwyddodd i ddianc o'r gwersylloedd na gwrthryfela yn erbyn eu gardiau, fe drefnwyd gwrthsafiad gan Iddewon y getoau sawl gwaith. Digwyddodd eu gwrthsafiad mwyaf yn Geto Warzawa yn Ebrill 1943. Ar 19 Ebrill aeth miloedd o filwyr Almaenig i mewn i'r geto i symud yr Iddewon i'r gwersylloedd angau. Ceisiodd rhai cannoedd o Iddewon eu hatal gyda dim ond drylliau llaw a bomiau petrol. Bu brwydr enbyd, ac fe ddinistriodd yr Almaenwyr y geto cyfan â thân a bomiau, gan ladd 5,000 o Iddewon.

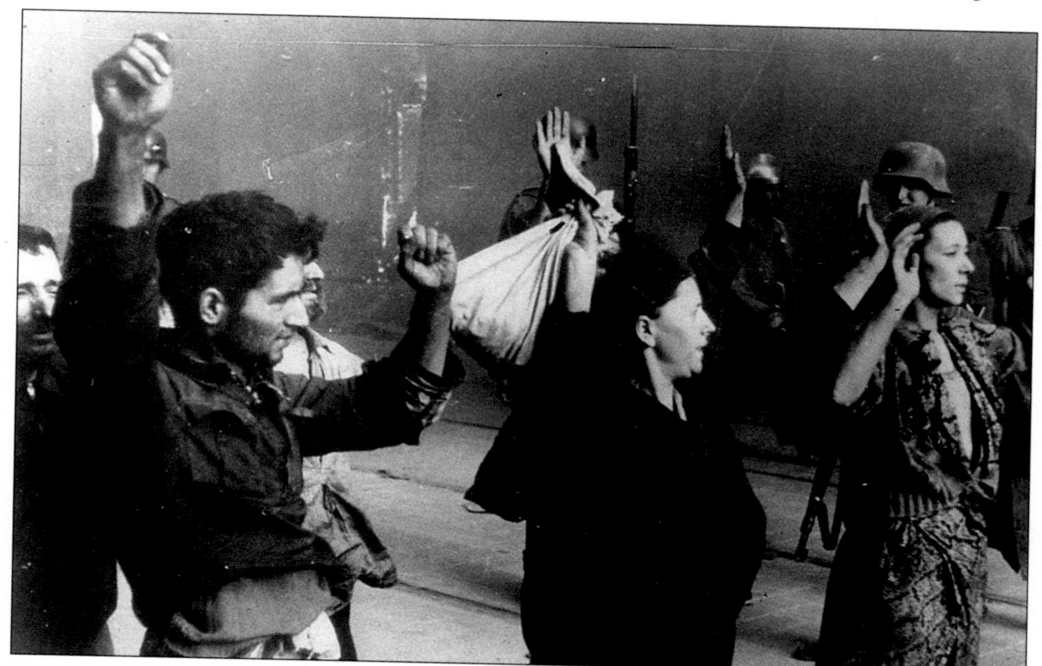

Ffynhonnell 6

Gwrthsafwyr Iddewig a ddaliwyd gan filwyr SS yn ystod y gwrthryfel yn Geto Warzawa yn Ebrill 1943.

Cwestiynau

1. Astudiwch Ffynhonnell 4. Beth mae'r lluniad yn ei ddweud wrthych am yr amodau yng ngwersyll Auschwitz?
2. Gan ddefnyddio'r wybodaeth o Ffynhonnell 5, esboniwch pam nad oedd carcharorion yn gwrthryfela'n aml yn erbyn y fath amodau erchyll.
3. Yn Ffynhonnell 6, prin oedd nifer yr Iddewon ac nid oedd ganddynt arfau digonol. Pam oeddent yn barod i ymladd yn erbyn yr Almaenwyr arfog?
4. Gan ddefnyddio'r ffynonellau a'r wybodaeth ar dudalennau 76-81 a 112-115, esboniwch pam y bu hi'n bosibl i'r Natsïaid ladd chwe miliwn o Iddewon.

Bywyd yr Almaenwyr a oedd Gartref yn ystod y Rhyfel

Roedd Hitler a'r Natsïaid mewn grym am ddeuddeng mlynedd a hanner. Am bron chwech o'r blynyddoedd hynny, roedd yr Almaen mewn rhyfel. Sut yr effeithiodd hynny ar fywydau pobl yr Almaen?

Beth oedd effaith y rhyfel ar sifiliaid yr Almaen?

Prinder a dogni

Fel y gwelsoch (t.86) roedd llawer o brinder hyd yn oed cyn cychwyn y rhyfel. Y rheswm dros hynny oedd fod yr Almaen yn cwtogi mewnforion o wledydd eraill er mwyn iddi fod yn hunangynhaliol.

Pan gychwynnodd y rhyfel, llwyddodd yr Almaen i gael gafael ar rai pethau prin drwy eu cymryd o'r gwledydd a orchfygwyd ganddi. Ond prin o hyd oedd llawer o bethau ac roedd rhai bwydydd yn amhosibl i'w cael. Yn Ffynonellau 1 a 2 gwelir dwy ffordd y ceisiodd y llywodraeth oresgyn y broblem.

Ffynhonnell 1

Dogn wythnos i un person yn yr Almaen: 2.4kg o fara, 3.5kg o datws, 250g o gig, 185g o frasterau (gan gynnwys llaeth powdr a ddangosir yma wedi'i baratoi â dŵr), 60g o gaws, 175g o jam, hanner ŵy, 150g o rawnfwyd, 60g o goffi.

Ffynhonnell 2

Heinrich Hauser, *Hitler Versus Germany: A Survey of Present-day Germany from the Inside,* 1940.

Bydd yr Almaenwr, ar ôl iddo siafio yn y bore, yn gosod yr hen lafn siafio mewn blwch arbennig, oherwydd fod Goering wedi gofyn am ddur ar gyfer y Cynllun Pedair Blynedd*.

Bydd gwraig y tŷ yn yr Almaen yn gosod bwyd gwastraff y gegin mewn bin arbennig... Mae hi'n gwybod y bydd y gwastraff hwn yn cael ei gasglu a'i ddefnyddio'n borthiant yn ffarm foch newydd y ddinas...

Bob wythnos bydd grwpiau o Fudiad Ieuenctid Hitler — bechgyn un wythnos a merched yr wythnos ganlynol — yn mynd o dŷ i dŷ i gasglu gwastraff o'r 'Blychau Casglu Deunyddiau Crai' — tuniau bwyd gweigion, papur gloyw a hen bapurau newydd. Gyda'u berfâu byddant yn gorymdeithio at y domen sbwriel ar gyrion dinasoedd a phentrefi. Yno byddant yn chwilota am hen sosbenni, offer cegin, bwcedi rhydlyd a fframiau gwelyau...

* **Cynllun Pedair Blynedd**
Yn 1936 y dechreuodd y cynllun hwn, sef cynllun i ddatblygu'r economi (gw. tudalen 86). Roedd y cynllun yn dal i gael ei weithredu yn ystod y rhyfel er bod y pedair blynedd wedi dod i ben.

Bomio

O ddechrau'r rhyfel yn 1939, roedd Llu Awyr Brenhinol Prydain yn mynd ar gyrchoedd bomio i'r Almaen. Yn y dechrau, ymosod ar dargedau milwrol yn unig a wnaent. Yn 1940 fe geision nhw fomio targedau diwydiannol hefyd megis ffatrïoedd a phurfeydd olew. Ond roedd y targedau hyn yn anodd i ddod o hyd iddynt ac yn anodd i'w taro. O 1942 ymlaen, felly, dan orchymyn y Rheolaeth Awyrennau Bomio, bomiwyd trefi a dinasoedd cyfan yn hytrach na thargedau milwrol neu ddiwydiannol yn unig. Mae Ffynonellau 3 a 4 yn rhoi syniad o'r modd yr effeithiodd y bomio ar fywydau pobl gyffredin.

Ffynhonnell 3

Mae'r llun hwn, a dynnwyd o awyren, yn dangos dinas Köln ar ôl i fil a rhagor o awyrennau Prydeinig fomio'r ddinas honno yn y 'Cyrch Mil o Awyrennau Bomio' ar 30 Mai 1942. Yn yr un cyrch hwn, lladdwyd 486 o bobl a dinistriwyd 58,000 o gartrefi.

Ffynhonnell 4

Jacob Schultz, un o ddinasyddion Darmstadt, yn cofio cyrch bomio ar y ddinas yn 1944 yn Klaus Schmidt, *Die Brandnacht* ('Noson y Tân'), 1965.

Doedd dim ffenestri yn y trenau, dim ysgolion, dim meddygon, dim post, dim teleffon. Teimlem nad oedd unrhyw gysylltiad rhyngom a'r byd. Roedd cyfarfod cyfaill a oedd yn dal yn fyw yn brofiad rhyfeddol. Doedd dim dŵr, dim goleuni, dim tân. Roedd cannwyll yn rhywbeth amhrisiadwy. Byddai plant bach yn casglu coed o'r adfeilion ar gyfer coginio. Twll yn yr ardd oedd toiled pob teulu.

Ffoaduriaid

O ganlyniad i fomio dinasoedd yr Almaen, fe gollodd miliynau o bobl eu cartrefi. Bu'n rhaid i lawer ohonynt droi'n ffoaduriaid a adawodd eu trefi eu hunain i chwilio am loches mewn man arall.

Tua diwedd y rhyfel, yn 1945, y bu'r symudiad mwyaf o ffoaduriaid. Erbyn hynny, roedd 16 miliwn o Almaenwyr yn byw yn Nwyrain Ewrop oresgynedig, mewn mannau megis gorllewin Gwlad Pwyl. Wrth i'r byddinoedd Sofietaidd symud ymlaen tua'r gorllewin yn 1945, dihangodd llawer o'r ffoaduriaid mewn braw. Roeddent yn llawn dychryn wrth feddwl beth a ddigwyddai iddynt pe caent eu dal. Wedi diwedd y rhyfel, cafodd miliynau'n rhagor eu bwrw allan o Wlad Pwyl, Tsiecoslofacia, Hwngari a gwledydd eraill a ryddhawyd o reolaeth y Natsïaid. Cawsant eu cludo dan amodau erchyll i'r Almaen. Allan o 16 miliwn o ffoaduriaid yn 1945, bu farw oddeutu dwy filiwn o ganlyniad i oerfel, newyn, haint a lludded.

Ffynhonnell 5

Teulu o ffoaduriaid yn cludo eu heiddo mewn bagiau, bocsys a phram baban. Maent yn brysio ar hyd stryd sydd wedi'i bomio yn 1945. Mae'r plentyn yn dal baner wen yn arwydd o ildio.

Cwestiynau

1 Edrychwch ar Ffynhonnell 3.
   a Beth oedd effaith yr ymgyrch fomio ar (i) y strydoedd, (ii) yr adeiladau, (iii) y pontydd, (iv) y dociau yn Köln?
   b Ym mha ffyrdd roedd hyn yn debygol o effeithio ar bobl Köln?
2 Yn ôl tystiolaeth Ffynhonnell 4, pa effeithiau eraill a gafodd yr ymgyrchoedd bomio?
3 Gan ddefnyddio'r dystiolaeth a welwch yn Ffynonellau 1-5, gwnewch restr o'r ffyrdd yr effeithiodd y rhyfel ar sifiliaid yr Almaen.

Gwrthwynebwyr Hitler yn yr Almaen

Fel y gwelsoch, nid oedd y Natsïaid yn caniatáu gwrthwynebiad. Câi Comiwnyddion, Tystion Jehofa, neu unrhyw un arall a anghytunai â nhw, eu rhoi mewn gwersylloedd crynhoi. Rhwng 1933 ac 1945, cafodd oddeutu tair miliwn o Almaenwyr brofiad o wersyll crynhoi. Ond ni allai'r Natsïaid ddinistrio eu gwrthwynebwyr i gyd. Llwyddodd nifer fechan ohonynt i osgoi cael eu restio a gwnaethant bopeth yn eu gallu i ddisodli Hitler. Roeddent fwyaf prysur yn ystod blynyddoedd y rhyfel.

Gwrthwynebiad asgell chwith

Ar yr asgell chwith, rhoddwyd cymorth i'r Undeb Sofietaidd gan ddwsinau o fudiadau gwrthwynebu. Er enghraifft, roedd y Gerddorfa Goch yn rhwydwaith ysbïo a roddai wybodaeth filwrol i'r fyddin Sofietaidd. Bu'r grŵp asgell chwith mwyaf, dan arweiniad Anton Saefkow (gw. Ffynhonnell 3), yn gyfrifol am ddifrodi, trefnu streiciau ac annog milwyr i ffoi o'r fyddin.

Gwrthwynebiad ceidwadol

Y Cylch Kreisau a drefnai wrthwynebiad yr asgell dde. Roedd y cylch hwnnw yn cynnwys swyddogion a phendefigion, pobl academaidd a phobl broffesiynol. Mewn cyfarfodydd cyfrinachol yn nhref Kreisau, fe drefnon nhw gynllun ar gyfer rheoli'r Almaen yn ôl egwyddorion democrataidd a Christnogol ar ôl i Hitler gael ei orchfygu.

Gwrthwynebiad y bobl ifanc

Dechreuodd miloedd o bobl ifanc wrthwynebu'r Natsïaid yn ystod blynyddoedd y rhyfel. Fel y gwelsoch, dangosodd nifer ohonynt eu gwrthwynebiad drwy ymuno â grwpiau megis Môr-ladron Edelweiss neu'r Navajos (gw. Ffynhonnell 1).

Y gwrthwynebwyr ifanc mwyaf gweithredol oedd grŵp o fyfyrwyr a elwid yn Rhosyn Gwyn ym Mhrifysgol München. Dan arweiniad Hans a Sophie Scholl a Christoph Probst (gw. Ffynhonnell 2), fe weithiodd y grŵp hwn yn erbyn y Natsïaid drwy ddosbarthu taflenni, dangos posteri ac ysgrifennu graffiti ar waliau.

Ffynhonnell 1

Grŵp o Navajos yn 1940. Cyhoeddwyd y llun mewn llawlyfr ar gyfer yr heddlu. Disgrifiai'r llawlyfr y gwahanol fathau o grwpiau gwrthryfelgar ymhlith yr ifanc. Mae'r capsiwn yn eu disgrifio fel 'Clic Gwyllt o Köln'.

Ffynhonnell 2

Arweinwyr grŵp y Rhosyn Gwyn, Hans Scholl (chwith), Sophie Scholl (canol), a Christoph Probst. Cawsant eu restio a'u dienyddio yn 1944.

Ymdrechion i ladd Hitler

Roedd y mwyafrif o wrthwynebwyr Hitler am iddo gael ei ladd. Roedd rhai ohonynt yn barod i ymdrechu i'w ladd. O 1933 ymlaen, ceisiwyd ei saethu neu ei ladd â ffrwydron o leiaf 11 o weithiau. Methodd pob ymdrech, ddwy waith oherwydd na chadwodd Hitler at ei amserlen ac unwaith oherwydd i'r bom beidio â ffrwydro.

Daeth Hitler yn agos iawn at gael ei ladd yng Ngorffennaf 1944 pan geisiodd grŵp o swyddogion y fyddin weithredu eu cynllun i gipio awenau'r llywodraeth. Ffrwydrodd eu bom dan fwrdd wrth ymyl Hitler. Cafodd ei anafu ond nid ei ladd. Yn yr anhrefn dilynol, methodd y swyddogion â gweithredu eu cynlluniau yn ddigon cyflym, a chafodd y Gestapo gyfle i restio'r arweinwyr. Daliwyd miloedd o'r cynllwynwyr a lladdwyd llawer ohonynt.

Beth oedd bwriadau gwrthwynebwyr Hitler?

Ychydig iawn o wrthwynebwyr Hitler wnaeth oroesi. Gan amlaf cawsant eu restio gan y Gestapo a'u harteithio nes iddynt ddatgelu enwau cynllwynwyr eraill. Yna câi cannoedd eu restio a'u cyhuddo o deyrnfradwriaeth. Y gosb gan amlaf oedd marwolaeth. Felly pam roedd cynifer o Almaenwyr yn fodlon wynebu perygl artaith a marwolaeth er mwyn gwrthwynebu Hitler? Beth oeddent yn ceisio'i gyflawni?

Does dim llawer o dystiolaeth i'n helpu i ateb y cwestiwn. Cafodd llawer o'r dystiolaeth ysgrifenedig ei dinistrio gan y Gestapo, a dim ond nifer fechan o'r gwrthwynebwyr a gafodd fyw i adrodd yr hanes. Mae Ffynhonnell 3 yn enghraifft o'r math o dystiolaeth sydd ar gael. Rhan ydyw o ewyllys a thestament olaf y gwrthwynebydd Comiwnyddol Anton Saefkow a restiwyd gan y Gestapo yn 1944. Fe'i hysgrifennodd yn y carchar, amser byr cyn ei ddienyddiad, â phensil a phapur a gafodd yn gyfrinachol gan ei gyd-garcharorion. Yna fe ddysgodd pob un ohonynt baragraff yr un cyn dinistrio'r ddogfen. Ar ddiwedd y rhyfel daethant ynghyd ac ail-lunio'r testun o'u cof. Y prif bwyntiau oedd:

Ffynhonnell 3

Dyfynnir yn Michael Balfour, *Withstanding Hitler in Germany, 1933-45*, 1988.

* **ffasgaeth** Ystyr y gair fan hyn yw Natsïaeth.

1 Dadwreiddio Ffasgaeth*...
2 Rhaid i'r gweithwyr gymryd meddiant o'r ffatrïoedd. Rhaid i'r gweithwyr gael y grym i wneud penderfyniadau a rhoi gorchmynion...
3 Caniatáu un undeb yn unig, gydag un gangen yn unig ym mhob ffatri.
4 Adeiladu'r Almaen newydd ar bwyllgorau'r bobl.
5 Mae'r dyfodol yn perthyn i'r dosbarth gweithiol...

Roedd llawer o grwpiau gwrthwynebu yn defnyddio taflenni i ledaenu eu syniadau. Gwaith peryglus oedd hynny a chafodd llawer o wrthwynebwyr eu restio gyda'u taflenni. Er hynny roedd digon o daflenni wedi goroesi'r rhyfel i fod yn ffynhonnell ddefnyddiol o dystiolaeth. Rhan o daflen gan grŵp y Rhosyn Gwyn yw Ffynhonnell 4.

Ffynhonnell 4

Taflen Rhosyn Gwyn rhif 3. Ysgrifennwyd yn 1942. Dyfynnir yn Inge Scholl, *Six Against Tyranny*, 1955.

...Mae gan bawb hawl i gael llywodraeth onest ac ymarferol sy'n sicrhau rhyddid yr unigolyn ac yn diogelu eiddo pawb... Unbennaeth ddrwg yw ein 'gwladwriaeth' bresennol...Pam nad ydych yn codi mewn gwrthryfel...? Difrodwch offer rhyfel a ffatrïoedd gwneud arfau; rhwystrwch gyfarfodydd, gwyliau, cymdeithasau, unrhyw beth a grëwyd gan Sosialaeth Genedlaethol. Rhwystrwch y peiriant rhyfel rhag rhedeg yn esmwyth...

Daw Ffynhonnell 5 o sgript radio na chafodd ei darlledu. Ysgrifennwyd y sgript gan y cynllwynwyr a geisiodd ladd Hitler â bom ar 20 Gorffennaf 1944. Eu bwriad oedd darlledu'r sgript drannoeth marwolaeth Hitler, ar ôl iddynt drechu'r llywodraeth.

Ffynhonnell 5

Dyfynnir yn Fabian von Schlabrendorff, *The Secret War Against Hitler*, 1966.

Roedd Hitler yn dirmygu popeth gwir a chywir. Yn lle yr hyn sy'n wir defnyddiai bropaganda; yn lle yr hyn sy'n gywir defnyddiai drais. Propaganda a'r Gestapo oedd ei ffordd ef o aros mewn grym. Iddo ef, yr unig wir werth oedd y wladwriaeth... Nid oedd dyn i fod yn ddim byd mwy na chyfran, aelod neu swyddog a oedd yn eiddo i'r wladwriaeth...

Yn lle hyn...bydd Llywodraeth newydd y Reich yn sefydlu gwladwriaeth a fydd yn unol â thraddodiadau Cristnogol y Byd Gorllewinol, wedi'i sylfaenu ar egwyddorion dyletswydd ddinesig, ffyddlondeb, gwasanaeth, a llwyddiant er lles pawb, yn ogystal â pharch at yr unigolyn a'i hawliau naturiol fel bod dynol.

Cwestiynau

1 **a** Sut y cafodd Ffynhonnell 3 ei hysgrifennu a'i chofnodi?
b Yn eich barn chi, pam y gwnaeth cydgarcharorion Anton Saefkow gofnodi ei syniadau yn y dull hwn?
c Ydy'r dull hwn o gofnodi yn effeithio ar ddefnyddioldeb Ffynhonnell 1 fel tystiolaeth o amcanion Anton Saefkow? Esboniwch eich ateb.

2 Pa sylwadau beirniadol ar Natsïaeth a geir yn Ffynonellau 4 a 5?

3 **a** Edrychwch ar Ffynhonnell 1. Ni cheisiodd y bobl ifanc hyn ledaenu eu syniadau fel y gwnaeth y myfyrwyr yn Ffynhonnell 2. Gan farnu yn ôl y llun hwn yn unig, sut roedden nhw'n dangos eu gwrthwynebiad i Natsïaeth?
b Awgrymwch pam roedd y math hwn o wrthwynebiad yn destun pryder i'r Natsïaid.

Gorchfygiad a 'dadnatsieiddio'

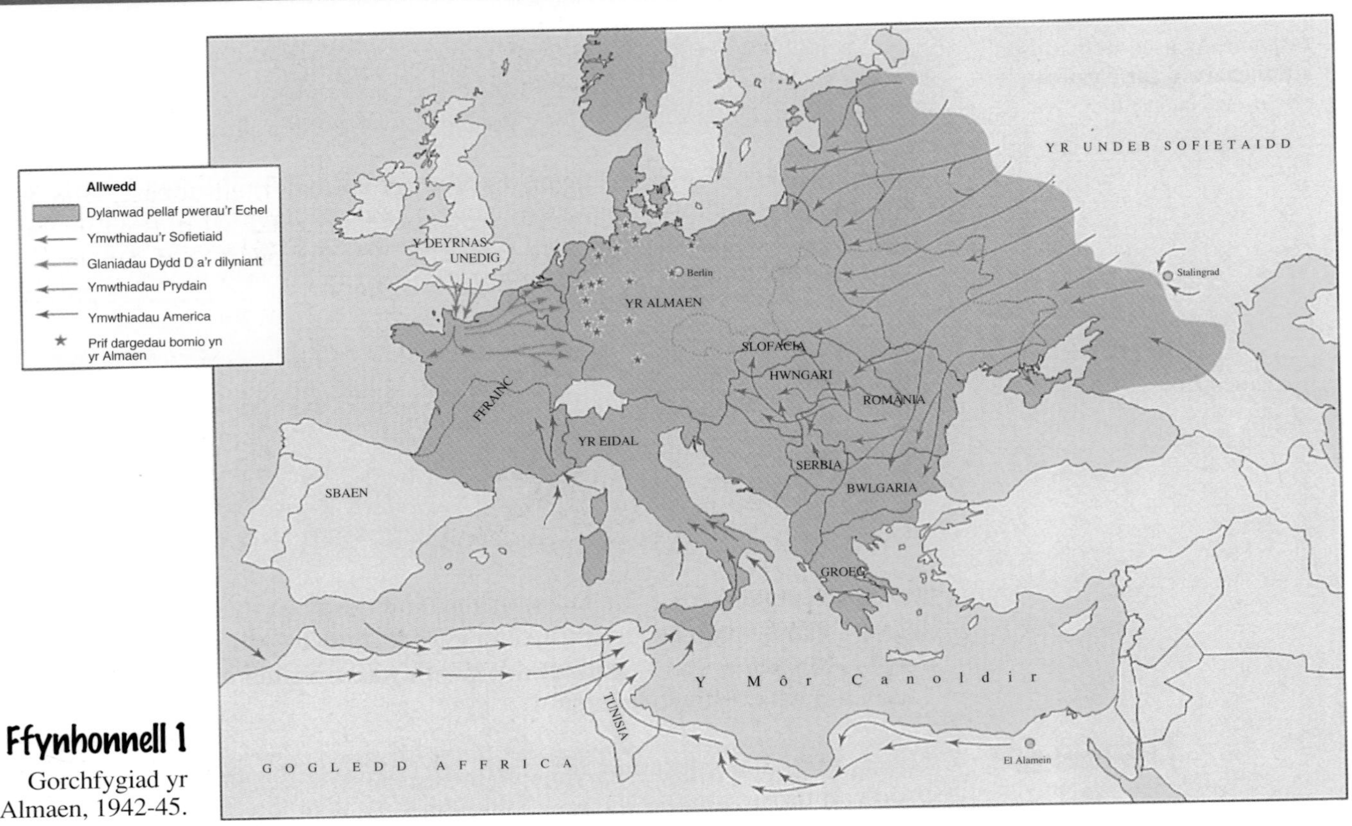

Ffynhonnell 1
Gorchfygiad yr Almaen, 1942-45.

Fel y dengys Ffynhonnell 1, roedd yr Almaenwyr wedi meddiannu llawer o Ewrop erbyn diwedd 1942. Ond po fwyaf o dir a feddiannent, mwyaf y baich arnynt i'w amddiffyn a'i reoli. Daeth hyn yn broblem gynyddol iddynt o 1943 ymlaen.

Y Ffrynt Rwsiaidd

Yn yr Undeb Sofietaidd y cafodd yr Almaenwyr y rhwystrau pennaf. Er iddynt feddiannu holl rannau gorllewinol y wlad yn 1941, ni allent orchfygu'r byddinoedd Sofietaidd. Ar ôl i'r Almaenwyr golli brwydr a barhaodd am flwyddyn i reoli Stalingrad, fe ddechreuon nhw encilio yn Chwefror 1943. Ar ôl colli rhagor o frwydrau drwy gydol 1943, cawsant eu gorfodi i adael yr Undeb Sofietaidd yn 1944.

Rhyfel y Môr Canoldir

Cafodd lluoedd yr Almaen broblemau yn rhanbarth y Môr Canoldir hefyd. Dechreuodd eu problemau yn 1941 pan aethant i helpu'r Eidalwyr i ymladd yn erbyn y Prydeinwyr yng Ngogledd Affrica. Er iddynt orfodi'r Prydeinwyr i encilio, ni allai'r Almaenwyr eu gorchfygu. Yna, yn Hydref 1942, fe'u gorfodwyd hwythau i encilio ar ôl colli Brwydr El Alamein.

Yn y cyfamser, roedd UDA wedi ymuno â'r rhyfel ar ochr Prydain. Dyma luoedd America yn cyrraedd Gogledd Affrica ac atal enciliad yr Almaenwyr yn Tunisia. Ildiodd yr Almaenwyr a'r Eidalwyr ym Mai 1943.

Yna, dyma'r Cynghreiriaid Prydeinig ac Americanaidd yn goresgyn yr Eidal ac yn gorfodi'r Eidalwyr i ildio yng Ngorffennaf 1943. Ymladd ar eu pennau eu hunain a wnâi'r Almaenwyr yn yr Eidal yn awr. Bu'n rhaid iddynt encilio tua'r gogledd at eu ffin eu hunain.

Glaniadau Dydd D

Ymosodwyd ar yr Almaenwyr o drydydd cyfeiriad pan laniodd y Cynghreiriaid yng ngogledd Ffrainc ar 6 Mehefin 1944 — Dydd D. Mewn ymladd trwm o fis Mehefin hyd fis Medi, gorfodwyd yr Almaenwyr gan ddwy filiwn o filwyr y Cynghreiriaid i encilio at eu ffin eu hunain. Cawsant eu hatal rhag dianc tua'r de gan oresgyniad y Cynghreiriaid yn ne Ffrainc, sef Gweithrediad yr Einion.

Ymosodiad â bomiau

Yn y cyfamser fe ymosodid ar yr Almaen ei hun o'r awyr. O 1942 ymlaen fe ymosodai awyrennau Prydain gan ddinistrio ardaloedd cyfan wrth iddynt ollwng bomiau ar gannoedd o drefi a dinasoedd. Lladdwyd oddeutu hanner miliwn o sifiliaid. Dinistriwyd tair miliwn o gartrefi. Cafodd ffatrïoedd, pyllau glo a mwyngloddiau, gorsafoedd pŵer a chanolfannau trafnidiaeth eu dinistrio hefyd.

Ildio

Dan ymosodiad o'r de, y dwyrain a'r gorllewin, ac o'r awyr, ni allai'r Almaenwyr obeithio ennill y rhyfel. Daeth y diwedd yn 1945 pan ddaeth milwyr Sofietaidd i mewn i ddwyrain yr Almaen tra oedd yr Americanwyr a'r Prydeinwyr yn symud i mewn o'r gorllewin. Pan orchfygwyd Berlin ym Mai 1945, fe gyflawnodd Hitler hunanladdiad. Ildiodd lluoedd arfog yr Almaen ymhen wythnos.

Rhannu'r Almaen

Ar ôl iddynt orchfygu'r Almaen, aeth y Cynghreiriaid ati i gael gwared â gorffennol Natsïaidd y wlad. Eu nod oedd dinistrio grym Natsïaeth a sicrhau na allai'r Almaen fyth ymladd eto.

Eu gweithred gyntaf oedd rhannu'r Almaen yn ddarnau. Fel mae Ffynhonnell 2 yn dangos, rhoddwyd Dwyrain a Gorllewin Prwsia dan reolaeth Gwlad Pwyl. Rhannwyd gweddill y wlad yn bedwar rhanbarth, a byddin un o'r Cynghreiriaid yn rheoli pob rhanbarth. Cafodd Berlin, y brif-ddinas, ei rhannu'n bedwar sector hefyd. Cafodd Awstria ei gwahanu oddi wrth yr Almaen a'i rhoi dan reolaeth y pedwar pŵer.

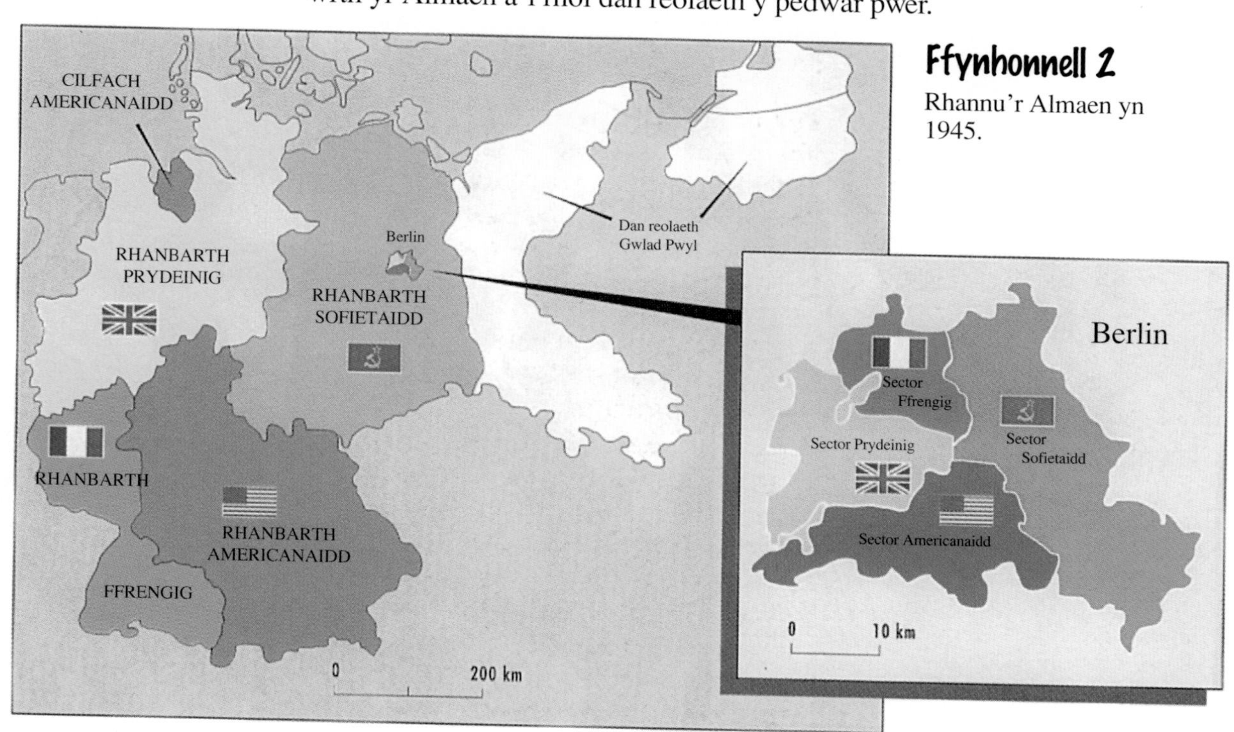

Ffynhonnell 2

Rhannu'r Almaen yn 1945.

Ffynhonnell 3

Darlun o Brawf Nuremberg, 1946-47, gan y Fonesig Laura Knight o Brydain. Yn arlunydd rhyfel swyddogol, roedd hi'n bresennol yn y prawf a thynnodd lun y cyfreithwyr (ochr chwith), y carcharorion (canol) a'r heddlu milwrol (ochr dde) a hwythau'n bresennol o'i blaen. Ychwanegodd y golygfeydd o ddinistr yn y cefndir gyda chymorth ei dychymyg.

Cosbi'r carcharorion rhyfel

Ym mhedwar rhanbarth y feddiannaeth, yn ogystal ag mewn gwledydd a ryddhawyd o reolaeth Natsïaidd, cafodd miloedd o swyddogion Natsïaidd eu restio a'u rhoi ar brawf am droseddau a gyflawnwyd yn ystod y rhyfel.

Cafodd y Natsïaid pwysicaf eu rhoi ar brawf gan Dribiwnlys Arbennig yn Nuremberg rhwng 1945 ac 1947. Yn y prif brawf trafodwyd achosion 21 o'r prif arweinwyr Natsïaidd (gw. Ffynhonnell 3). Crogwyd deg ohonynt a charcharwyd y gweddill am 'droseddau yn erbyn dynoliaeth'. Ac yn ystod y blynyddoedd canlynol, cafodd miloedd o Natsïaid llai eu rhoi ar brawf am droseddau tebyg.

Dadnatsieiddio

Gweithred nesaf y Cynghreiriaid oedd datgan bod y Blaid Natsïaidd yn anghyfreithlon. Collodd miloedd o gyn-Natsïaid eu swyddi gwladol amlwg. Mewn ymgais i ofalu nad oedd neb yn mynd drwy'r rhwyd, gorchmynnwyd i filiynau o Almaenwyr ateb holiaduron manwl am eu gorffennol. Yn y rhanbarth Americanaidd yn unig, atebwyd 13 miliwn o holiaduron. Dangosodd yr holiaduron hyn fod gan tua thair miliwn o bobl orffennol Natsïaidd.

Ailaddysgu

Bu ymdrechion yr un mor drylwyr i 'ddadnatsieiddio' cyfundrefn addysg yr Almaenwyr. Dinistriwyd miliynau o lyfrau ysgol a oedd yn cynnwys syniadau Natsïaidd ac ailysgrifennwyd gwerslyfrau newydd yn gyflym. Cafodd athrawon Natsïaidd eu diswyddo neu eu hailhyfforddi. Dechreuodd yr ysgolion ddysgu cwricwlwm newydd nad oedd yn cynnwys syniadau Natsïaidd. Cafodd cannoedd o filoedd o garcharorion rhyfel eu 'hailaddysgu' mewn colegau a grëwyd yn arbennig ar eu cyfer cyn iddynt ddychwelyd i'r Almaen.

Er mwyn cefnogi'r ymdrech yma i 'ailaddysgu' pobl yr Almaen, gofalodd y Cynghreiriaid mai nhw oedd yn rheoli'r wasg, y radio a diwydiant ffilmiau'r Almaen. Gofalent hefyd mai syniadau democrataidd a gâi eu lledaenu yn hytrach na rhai Natsïaidd.

Oedd dadnatsieiddio yn llwyddiant?

Roedd dadnatsieiddio yn dasg anoddach na'r disgwyl. Un o'r problemau a wynebai'r Cynghreiriaid oedd dod o hyd i bobl annatsïaidd i gymryd lle'r Natsïaid a oedd wedi colli eu swyddi gyda'r llywodraeth. Disgrifiodd Saul Padover, milwr Americanaidd yn yr Almaen yn 1945, rai o'r bobl annatsïaidd a aeth i swyddi'r Natsïaid a oedd wedi'u diarddel yn ninas Aachen:

Ffynhonnell 4

O ddyddiadur Saul K. Padover, *Psychologist in Germany*, 1946.

* **ystradebau** Dywediadau sydd, oherwydd eu bod wedi cael eu gorddefnyddio, wedi colli llawer o'u grym: *clichés*.

Y pwynt cryf o'u plaid...yw eu bod yn 'wrth-Natsïaidd' neu'n 'annatsïaidd'. Eu prawf yw na fuont yn aelodau o'r Blaid erioed.

(Ond) nid yw'r dynion hyn yn meddwl mewn modd democrataidd. Dywedant fod Gweriniaeth Weimar yn ddirmygus yn eu golwg... I wahanol raddau, ailadroddant ystrydebau* y Natsïaid — y sarhad a fu i'r Almaen yng Nghytundeb Versailles, mai cytundeb rhy lym oedd hwnnw... bod yr Almaen wedi cael ei bradychu pan wrthodwyd cyflawni'r Pedwar Pwynt ar Ddeg, bod rhaid i'r 'Reich druan'...ehangu.

Roedd ailaddysgu'r plant ysgol yn dasg arbennig o anodd. Er i'r Cynghreiriaid allu dinistrio'r holl werslyfrau Natsïaidd, nid oedd yr adnoddau ganddynt i ysgrifennu rhai newydd eu hunain. Rhaid felly oedd trosglwyddo i'r Almaenwyr y dasg o ysgrifennu gwerslyfrau newydd. Yn achos hanes, nid oedd hynny bob amser yn cyflawni'r hyn a ddymunai'r Cynghreiriaid.

Mae Ffynhonnell 5 yn enghraifft o'r broblem. Dyfyniad ydyw o werslyfr ysgol ar hanes diweddar. Cyhoeddwyd y gwerslyfr yn 1958, a *dim ond* hyn a ddywedir am yr Iddewon yn yr Almaen Natsïaidd.

Ffynhonnell 5

Ernst Klett, *Geschichte der Neuesten Zeit* ('Hanes Amserau Diweddar'), 1958.

Yn Nhachwedd 1938 bu digwyddiad arbennig o gywilyddus. Cafodd diplomydd Almaenig ym Mharis ei saethu gan Iddew. Doedd y diplomydd ddim wedi bod yn elyniaethus o gwbl tuag at yr Iddewon. Cafodd y weithred hon ei chwyddo'n ormodol gan y Natsïaid a'i defnyddio'n esgus i erlid yr Iddewon yn egnïol. Dan orchmynion Goebbels llosgwyd y synagogau gan aelodau o wahanol adrannau yn y Blaid. Hefyd cafodd llawer o Iddewon eu cam-drin a difrodwyd eu siopau i amrywiol raddau.

Mewn sgwrs gan Michael Balfour yn 1985, disgrifiwyd y broblem sylfaenol mewn perthynas ag ailaddysgu. Bu ef yn Bennaeth Gwasanaethau Gwybodaeth yn rhanbarth Prydeinig yr Almaen o 1945 hyd 1947.

Ffynhonnell 6

Michael Balfour, *In Retrospect: Britain's Policy of Re-education*, 1985.

Byddai'n dda gennyf pe baem wedi llwyddo i fod yn fwy gweithredol. Ond erbyn hyn rwy'n amau p'run a fyddai hynny wedi bod o fudd go-iawn. Mae agwedd meddwl yr Almaenwyr ym misoedd olaf y rhyfel yn bwnc diddorol dros ben... Fe gadwodd 30 y cant ohonynt eu ffydd yn Hitler tan yn agos iawn at y diwedd. Roedd cyfran sylweddol yn credu bod Natsïaeth 'yn beth da wedi'i weithredu mewn ffordd wael'. Rhwng Tachwedd 1945 ac Ionawr 1948, ni ddisgynnodd y gyfran a gredai hynny o dan 42 y cant. Mae tystiolaeth dda fod 10 y cant o ddynion yr Almaen wedi dal ati i fod yn Natsïaid o argyhoeddiad — pedair miliwn o bobl...

Cwestiynau

1 Edrychwch ar Ffynhonnell 3
   - **a** Fe beintiodd y Fonesig Laura Knight yr olygfa brawf hon drwy arsylwi. Yn eich barn chi, pam y gwnaeth hi ychwanegu'r golygfeydd dychmygol yn y cefndir?
   - **b** Oherwydd y golygfeydd yn y cefndir, mae'r darlun yn cyfleu mwy na phortread o'r prawf. Mae'n cynnig dehongliad yr arlunydd o'r digwyddiadau. Yn eich barn chi, pa ddigwyddiadau yn y rhyfel sy'n cefnogi ei dehongliad?

2 Darllenwch Ffynhonnell 5 yn ofalus.
   - **a** Trowch yn ôl i dudalen 77 a darllenwch y paragraff dan y teitl '*Krystallnacht*'. Mae'n disgrifio'r un digwyddiadau â Ffynhonnell 5. Beth yw'r gwahaniaeth rhwng y ddau adroddiad?
   - **b** Defnyddiwch y mynegai yng nghefn y llyfr hwn i ddod o hyd i gyfeiriadau at Iddewon yn yr Almaen Natsïaidd. Rhestrwch ddigwyddiadau a oedd yn gysylltiedig ag Iddewon yn yr Almaen Natsïaidd — digwyddiadau na chaiff eu crybwyll yn Ffynhonnell 5.
   - **c** Pam y gellir beirniadu Ffynhonnell 5 fel adroddiad hanesyddol am Iddewon yn yr Almaen Natsïaidd?

3 Yn Ffynhonnell 6, dywed Michael Balfour y byddai'n dda ganddo pe bai'r Cynghreiriaid wedi bod yn 'fwy gweithredol' yn y dasg o 'ailaddysgu' pobl yr Almaen ond na fyddai hynny wedi bod o fudd go-iawn.
   - **a** Gan ddefnyddio Ffynonellau 4-6, esboniwch pam ei fod yn credu na fyddai hynny wedi bod o fudd go-iawn.
   - **b** Er gwaethaf yr anawsterau hyn, awgrymwch beth arall y gallai'r Cynghreiriaid fod wedi'i wneud i 'ailaddysgu' pobl yr Almaen.

Adolygu Uned 8

Yn 1977 fe gynhaliodd newyddiadurwr Almaenig, Dieter Bossman, gyfweliadau â disgyblion hŷn yn ysgolion yr Almaen i ddarganfod beth a wyddent am Hitler. Mae'r dyfyniadau a ganlyn, a gymerwyd o'r cyfweliadau, yn enghreifftiau nodweddiadol o'r hyn a ddywedon nhw wrtho.

Dieter Bossman (gol.), *Was ich über Adolf Hitler gehört habe* ('Beth a glywais am Adolf Hitler'), 1977.

Kirsten, 16 oed: Iddew oedd Adolf Hitler ei hun a châi ei watwar gan bawb.

Otto, 16 oed: Fe ryddhaodd yr Almaen rhag yr Iddewon. Yn y busnesau mawrion i gyd roedd yna Iddew. Roedd yr Almaenwyr yn cael eu gorthrymu.

Ute, 16 oed: Cafodd gwersylloedd crynhoi eu codi yn ddiweddarach ac fe gafodd yr Iddewon eu gwenwyno â nwy yn y gwersylloedd hynny. Ond roedd yr Iddewon wedi cael eu rhybuddio ymhell cyn hynny ac wedi clywed y dylent ymfudo.

Hubertus, 19 oed: Er mwyn cael hil bur, doedd dim rhaid iddynt ddefnyddio gwersylloedd crynhoi ar unwaith. Yn sicr gallai Hitler fod wedi meddwl am rywbeth llai 'erchyll'. Siawns y gallai fod wedi rhoi gorchmynion i ddiarddel Iddewon o'r Reich.

Thomas, 15 oed: Gorchmynnodd y byddai'r holl Iddewon a fyddai ar y strydoedd ar ôl 8 o'r gloch yn cael eu saethu. (Gwaetha'r modd doedd ganddyn nhw ddim watsys.)

Joachim, 18 oed: Roedd rhaid symud yr Iddewon. Gan nad oedd unrhyw un am eu derbyn — nid hyd yn oed Roosevelt* a oedd yn Iddew — roedd rhaid eu lladd.

* **Roosevelt** Arlywydd UDA, 1933-45.

Renate, 15 oed: Rwy'n meddwl am yr Iddewon. Siawns na allai e fod wedi ffeindio ffordd arall i'w lladd.

Thomas, 17 oed: Fe drefnodd Hitler i'r Iddewon gael eu lladd oherwydd roedd e am gael Almaenwyr yn unig yn ei Ymerodraeth.

Cwestiynau

1 **a** Beth oedd yr holl bobl ifanc hyn wedi'i glywed am Hitler?
  b Sut y gellid esbonio hyn?

2 Sut y mae'r gosodiadau hyn yn awgrymu mai ychydig iawn a wyddai Almaenwyr ifanc yn yr 1970au am Hitler a'r Natsïaid?

3 **a** Dewiswch un gosodiad sydd, yn eich barn chi, yn dangos diffyg dealltwriaeth hanesyddol.
  b Esboniwch beth, yn eich barn chi, sy'n anghywir yn y gosodiad hwnnw.

4 Ydy'r gosodiadau hyn yn brawf fod dadnatsieiddio'r Almaen ar ôl 1945 wedi methu? Esboniwch eich ateb.

5 **a** Gwnewch restr o'r pethau y dylai pobl ifanc, yn yr Almaen neu unrhyw wlad arall, eu dysgu am Hitler a'r Natsïaid cyn gadael yr ysgol.
  b Esboniwch pam y dylent gael gwybod am y pethau hyn.

Mynegai